Ivan Aromatario
Lycée Les Eaux Claires
Grenoble

Patrice Tondo
Lycée Les Eaux Claires
Grenoble

Avec la participation de :
Francesca Bivona
Claude Di Liberatore
Pierre Méthivier

Remerciements

Les auteurs remercient Sophie Rosenberger pour la confiance renouvelée.
Les auteurs tiennent tout particulièrement à remercier Véronique Pommeret, leur éditrice, pour ses apports précieux et pour la réflexion et les échanges fructueux qui ont jalonné de bout en bout la réalisation de ce nouveau manuel.
Les auteurs et l'éditrice remercient Mesdames Christel Sabathier et Fabienne Perotto pour leurs relectures précieuses et leurs conseils avisés.
L'éditrice remercie également Federico Simonti pour son aide précieuse.

Maquette (couverture et intérieur) : Frédéric Jély
Mise en page : Joëlle Casse
Cartographie : AFDEC (gardes), Gabriel Rebufello (*Unità* 2 p. 21, p. 28, p. 29)
Recherche iconographique : Federico Simonti
Illustrations : Alexandre Arlène (p. 80, p. 83, p. 84-85, p. 86, p. 87)
Didier Millotte (p. 51, p. 55, p. 56-57, p. 58, p. 72, p. 101-102)
Anne Montel (p. 64, p. 66, p. 70-71)
Wilfrid Poma (p. 14, p. 18, p. 19, p. 22, p. 27, p. 30, p. 32, p. 92, p. 95, p. 97, p. 99, p. 108)
Virginie Vidal (p. 10-12, p. 37-39, p. 42)

hachette s'engage pour l'environnement en réduisant l'empreinte carbone de ses livres. Celle de cet exemplaire est de : 800 g éq. CO_2
Rendez-vous sur www.hachette-durable.fr
PAPIER À BASE DE FIBRES CERTIFIÉES

Achevé d'imprimer en Italie par L.E.G.O. S.p.A. Lavis - Dépôt légal: Août 2018 - Edition 05 - 30/5287/4

ISBN 978-2-01-4626865-1

Pictogrammes désignant les différentes activités langagières :

- Écouter et comprendre
- Lire
- Parler en continu
- Réagir et dialoguer
- Écrire

Pictogrammes signalant les renvois :

- CD classe — Enregistrement audio (coffret classe)
- MP3 — Mp3 élève à télécharger
- Document vidéo (coffret classe)
- Cahier d'activités

Autres pictogrammes :

- Géographie — Croisement entre enseignements
- Contact entre les langues
- EPI — Projet EPI

Préface

Tutto Bene! 5e est le dernier-né de la collection ***Tutto bene!*** Cet ouvrage a été spécialement conçu pour répondre aux exigences des nouveaux programmes du collège. Sa structure, son contenu, ainsi que toutes les activités ont été pensés en fonction des nouveautés apportées par la réforme.
Si l'on retrouve de nombreuses caractéristiques des précédents manuels de la collection, la méthode **évolue de manière à être parfaitement en phase avec les nouveaux programmes et les nouvelles modalités d'enseignement** (âge des élèves, nouveaux horaires, nouveaux rythmes, propositions de productions finales en EPI, interdisciplinarité, contact entre les langues…).
Vous disposerez ainsi d'un **outil stimulant**, ayant pour objectif de fixer les apprentissages fondamentaux de manière durable tout en privilégiant une progression en douceur. Toutes les unités, axées sur les centres d'intérêt des élèves, respectent les entrées culturelles préconisées (langages, école et société, voyages et migrations, rencontres avec d'autres cultures).

Les situations de communication doivent encourager l'**interaction orale entre élèves** et les **activités en équipes**, favoriser le développement de leur autonomie.
La **proposition de plusieurs *Progetti finali*** donne la possibilité à l'enseignant de créer des parcours différenciés répondant aux besoins de chacun.
L'approche ludique, associée à une iconographie variée et présente dans toutes les pages des leçons, doit faciliter l'adhésion des élèves aux activités proposées et permettre une mise en activité réelle et constante de ces derniers.
Les nombreux **documents authentiques** doivent quant à eux renforcer la motivation des élèves dans la découverte d'une autre culture : l'**arrière-plan culturel** est en effet très riche (vidéos, pages consacrées à l'art, dossiers indépendants dédiés aux fêtes…) et donne une image à la fois réaliste et actuelle de l'Italie.
Une **priorité a été accordée également à l'aspect pratique** (pages lexicales illustrées, accents toniques systématiquement précisés, encadrés d'aide nombreux…)
Soulignons enfin la présence de nombreuses **nouveautés** :
– un format facilitant l'usage des outils numériques (tablette),
– une double-page de jeux (des jeux très variés allant de la devinette au sudoku),
– des pages de ***grammatica attiva*** permettant un réemploi immédiat et concret des points grammaticaux étudiés,
– des **pages lecture** (toutes en lien avec les notions abordées dans les unités) destinées à développer le goût de la découverte de documents littéraires plus longs.

Nous souhaitons vivement que ce nouveau manuel constitue pour vous et vos élèves un outil agréable, simple d'utilisation et qu'il favorise un apprentissage alliant constamment exigence et plaisir.

Buon lavoro a tutti!

Ivan Aromatario et Patrice Tondo

Tableau des contenus

Benvenuti in Italia! p. 13-20

Thème culturel : langages

Giro d'Italia p. 21-34

Thème culturel : langages

3 Italia senza frontiere p. 35-48

Thème culturel : voyages et migrations

4 Una nuova scuola p. 49-62

Thème culturel : école et société

Unità 5 Che cosa fai oggi? p. 63-76

Thème culturel : école et société

	Compétences de communication	Langue	Tâche intermédiaire	Projet final	Culture
LEZIONE PRIMA **Facciamo un giro...** p. 64 **Il mio hobby preferito** p. 65	• Identifier différentes activités • Parler de ses activités et de ses passions • Comprendre un programme d'activités • Présenter un lieu de divertissement	**Grammaire** • Le présent des verbes irréguliers en *-are* (2) • Les articles contractés (1) • Les adjectifs possessifs • Le présent des verbes irréguliers *volere, potere, dovere* **Phonologie** • Les intonations **Lexique** • Les loisirs et les passions • Les lieux des activités	• Présenter et expliquer son activité préférée	**1** Créer un power point sur ses activités **2** Organiser le programme d'un week-end entre amis **3** Approfondir un sujet lié aux sciences de la vie et de la Terre EPI	• Les jeux italiens traditionnels (*il Palio di Siena, il calcio storico di Firenze*) **Art** • Les fresques médiévales, Castel Roncolo (Bolzano) et Palazzo Borromeo (Milano)
LEZIONE SECONDA **Week-end con i tuoi...** p. 66 **Pianeta divertimento** p. 67			• Créer la bande sonore d'un spot publicitaire		

Unità 6 I supereroi sbarcano p. 77-90

Thème culturel : rencontres avec d'autres cultures

	Compétences de communication	Langue	Tâche intermédiaire	Projet final	Culture
LEZIONE PRIMA **I custodi della città** p. 78 **Il mio supereroe** p. 79	• Décrire physiquement une personne • Présenter les caractéristiques d'un super-héros • Comparer les héros mythologiques et les super-héros	**Grammaire** • Les pluriels irréguliers • Les articles contractés (2) • Les quantitatifs **Phonologie** • Les sons [ʃ] et [tʃ] • Les onomatopées **Lexique** • Le corps • La ville	• Créer et présenter un super-héros	**1** Créer une planche de BD **2** Imaginer les dialogues d'une scène de film **3** Créer une carte pop-up EPI	• Des super-héros italiens • Les cosplayers • Un film : *Un ragazzo speciale* **Art** • Une œuvre du *street artist* Flavio Solo
LEZIONE SECONDA **Supererrore!** p. 80 **Mitici!** p. 81			• Inventer la biographie d'un super-héros comique		

Buone Feste!

L'angolo della lettura

Lingua

Mode d'emploi d'une unité

Une double-page d'ouverture

Un grand (ou plusieurs) **document(s) iconographique(s)** présente(nt) le thème de l'unité.

Un **court enregistrement**, accompagné d'une activité dans le cahier, introduit le thème et le champ lexical de l'unité.

Les **objectifs de communication**.

Les **projets** proposés en fin d'unité (dont **un EPI**).

Deux leçons de deux pages

LEZIONE PRIMA

De nombreuses activités en binômes ou en îlots.

Un entraînement aux différentes **activités langagières** dans les leçons.

Des renvois à la piste des **CD classe** et des **mp3 élève**, des renvois à la page du **cahier d'activités**.

Les faits de langue (***Grammatica*** / ***Pronuncia***) observés dans la page ***Lezione*** et développés dans les pages ***Lingua in pratica***.

LEZIONE SECONDA

Des **boîtes d'aide** (souvent illustrées) pour s'exprimer en autonomie.

Un renvoi à un **bilan dans le cahier d'activités** pour vérifier ses connaissances avant de réaliser la tâche.

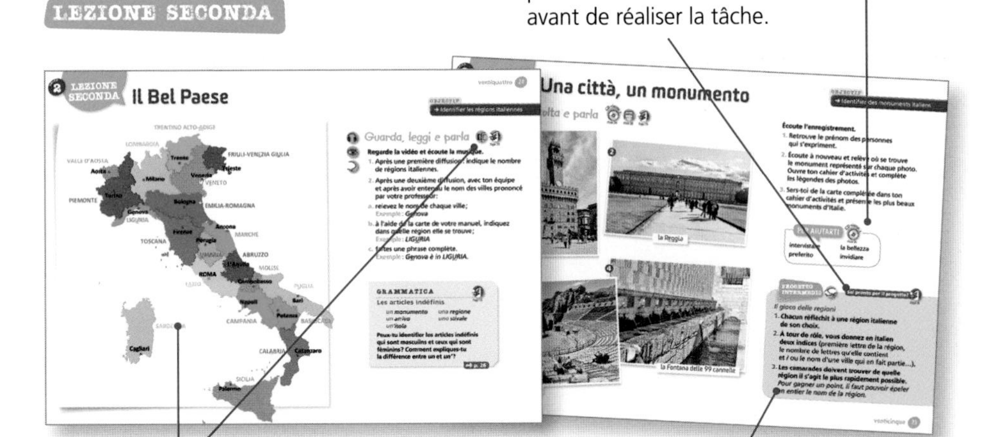

Les documents étudiés sont très diversifiés : des audios (dialogues, chansons…), **7 vidéos authentiques** (micros-trottoirs, documentaires, trailers…), des documents iconographiques authentiques, des textes divers.

À la fin de chaque leçon, une **tâche intermédiaire** est proposée, aboutissement de la leçon et étape préparatoire vers le projet final.

Deux pages de langue

LINGUA IN PRATICA

Des renvois aux **activités supplémentaires** proposées dans le cahier.

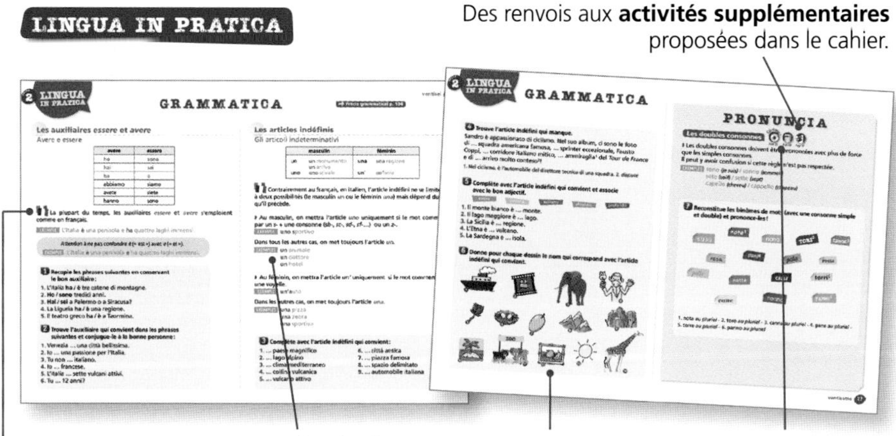

Des **contacts entre les langues**.

Les règles des faits de langue abordés dans les pages ***Lezione***.

Des **exercices** d'entraînement contextualisés.

Des enregistrements pour illustrer chaque **point de phonétique** rencontré dans les pages de leçon et approfondi ici.

Deux fiches lexicales illustrées

LESSICO

Chaque mot des fiches lexicales est enregistré.

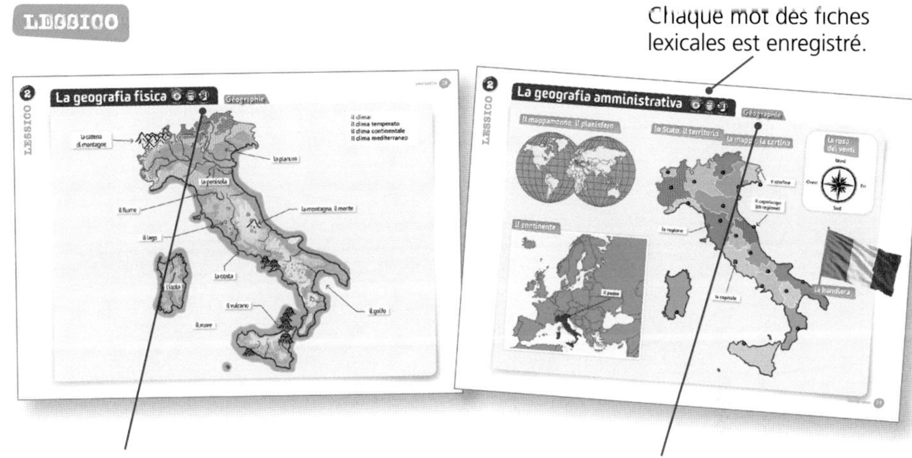

Un renvoi à des **activités supplémentaires** du cahier.

Tout au long de l'unité, un picto annonce les activités en **interdisciplinarité** « croisement entre enseignements ».

Deux pages d'activités ludiques

GIOCHIAMO!

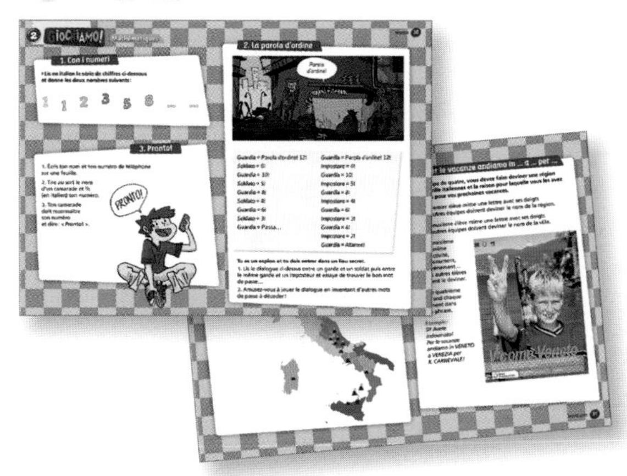

Dans ces deux pages, des **jeux** variés sont proposés pour **rebrasser le lexique et les points de grammaire** de l'unité de manière ludique.

Deux pages de civilisation

Scopriamo insieme

Des **documents variés** pour aborder le thème de l'unité par des angles différents.

Lo sguardo dell'artista

Une page pour ouvrir le thème sur le monde de l'**art**.

Des **pistes d'exploitation** pour chaque document.

Des **pistes** pour exploiter le document.

Une petite boîte pour aborder l'**histoire des arts**.

Une page de projets

Tocca a te! Aboutissement de l'unité, le **projet final** permet à l'élève de mettre en pratique ses aptitudes à communiquer en italien en accomplissant une tâche finale. La page ***Tocca a te*** propose un choix entre plusieurs projets finaux, selon le profil de la classe.

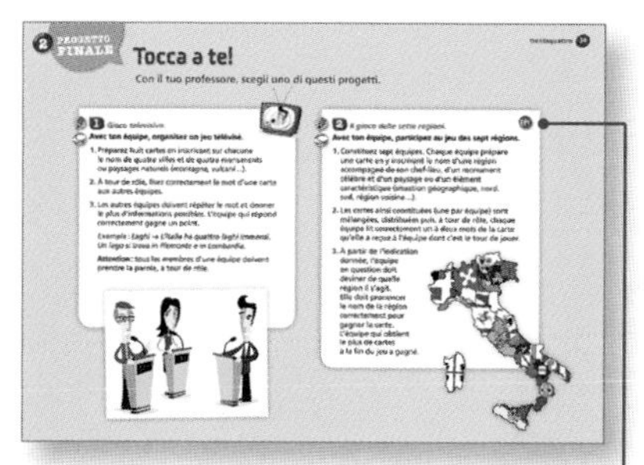

Parmi les projets proposés, **un projet EPI** à réaliser avec la collaboration du professeur d'une autre discipline.

CD classe 1
MP3
Pistes 2-3
Pistes 2-3

In classe

Buongiorno ragazzi! Come state? Tutto bene? Tutto a posto?
Buongiorno Signora!

Seduti!

Chi è assente oggi?

Aprite I libri a pagina 13.

Chiudete i libri.

Prendete il quaderno d'attività a pagina 22.

Correggiamo l'esercizio.
Scrivete nel quaderno.

CD classe 1
MP3
Pistes 4-8
Pistes 4-8

Ripetete dopo di me! Ora, tutti insieme!
ITALIA

Vieni alla lavagna e scrivi...

Presenta il tuo progetto!

Professoressa?
Per favore...

Professore? Può ripetere per favore?
Non ho sentito...

Professore? Può ripetere per favore?
?
Non ho capito...

Fa caldo, possiamo aprire la finestra, signore?

Ho freddo, possiamo chiudere la finestra, signora?

Sono in ritardo, mi scusi Signora!

Segnate i compiti per la prossima volta.

Ciao! Arrivederci ragazzi!

Arrivederci! ArrivederLa Professoressa!

Benvenuti in Italia!

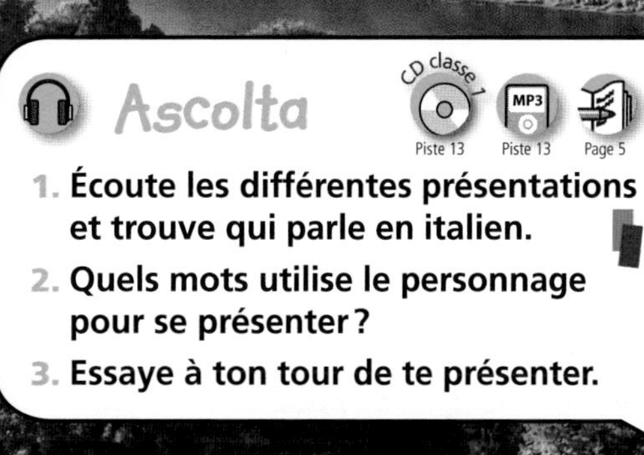

Ascolta

CD classe 1 Piste 13 · MP3 Piste 13 · Page 5

1. **Écoute les différentes présentations et trouve qui parle en italien.**
2. **Quels mots utilise le personnage pour se présenter ?**
3. **Essaye à ton tour de te présenter.**

Tu vas apprendre à:

- te présenter.
- prononcer à l'italienne les noms propres et les mots courants;
- réciter l'alphabet italien et épeler des mots;
- présenter à la classe ce que tu connais déjà sur l'Italie et la langue italienne.

PROGETTO FINALE

Tu vas choisir entre :

1 **organiser un concours d'alphabet;**

2 **créer la bande-son d'une publicité sur l'Italie.**

1 LEZIONE PRIMA A, come...

OBJECTIF
→ Orthographier et prononcer les mots italiens

1. Ascolta e scrivi

CD classe 1 Pistes 14-15 · MP3 Pistes 14-15

1. Écoute la comptine.
   Repère les voyelles italiennes
   et prononce-les à ton tour.
2. Écoute la liste de mots.
   Écris-les et replace-les
   dans l'ordre alphabétique.

2. Ascolta, scrivi e parla

CD classe 1 Piste 16 · MP3 Piste 16 · Page 5

1. Écoute l'alphabet italien
   et écris les mots manquants
   dans ton cahier d'activités.
2. Quelles remarques peux-tu
   faire sur l'alphabet italien ?
3. Que peux-tu dire au sujet
   de la prononciation italienne ?

L'alfabeto italiano

A come ...

B come ...

C come cinema

D come ...

E come elefante

F come farmacia

G come giraffa

H come hotel

I come ...

L come ...

M come mamma

N come ...

O come ...

P come pallone

Q come quadro

R come ...

S come ...

T come telefono

U come ...

V come villaggio

Z come zebra

L'abbiccì

OBJECTIF
→ Prononcer à l'italienne

Ascolta, scrivi e canta

Apprends l'alphabet italien puis écoute la chanson de *L'abbiccì*.

1. Repère d'abord les mots associés à chaque lettre de l'alphabet puis complète la liste ci-dessous :

...ottore

...asa

...ccendino

...stintore

...angia

...agnino

...avoro

...iore

...rida

2. Écoute la chanson de *L'abbiccì*, puis, avec un camarade, complétez-la dans le cahier d'activités.
3. Faites des équipes et apprenez une partie de la chanson. Répétez-la, puis récitez-la ou chantez-la devant la classe.

PER AIUTARTI

A - B (*bi*) - C (*tchi*) - D (*di*) - E (*é*) - F (*effé*) - G (*dji*) - H (*acca*) - I (*i*) - L (*ellé*) - M (*emmé*) - N (*enné*) - O (*o*) - P (*pi*) - Q (*cou*) - R (*erré*) - S (*essé*) - T (*ti*) - U (*ou*) - V (*vi*) ou (*vou*) - Z (*dzéta*)

On peut trouver aussi les lettres J (*i lunga*), K (*kappa*), W (*doppia vou*), X (*ics*) et Y (*i greca*) dans des mots d'origine étrangère.

Contrairement au français, les lettres sont au féminin en italien : *la « t », la « u », una « t », una « u »...*

→ p. 106

PRONUNCIA

I suoni italiani

Écoute la chanson de Jo Alù et complète le tableau dans le cahier d'activités.

PROGETTO INTERMEDIO Sei pronto per il progetto? Page 8

Gioca all'impiccato!

Joue au jeu du pendu en italien.

1. **En binôme, choisissez un mot et proposez-le à la classe en écrivant la première lettre et la dernière au tableau.**
2. **Un élève interrogera les élèves de la classe. L'autre notera les lettres au tableau et dessinera le pendu.** Toutes les lettres doivent être prononcées correctement pour être validées.

Per me l'Italia è...

OBJECTIF
→ Dire ce qu'évoque pour toi l'Italie

Leggi, parla e scrivi

Page 9

L'ITALIA È...

un monumento, come...

una città, come...

una specialità, come...

un personaggio celebre, come...

una marca famosa, come...

una parola o un' espressione in italiano, come...

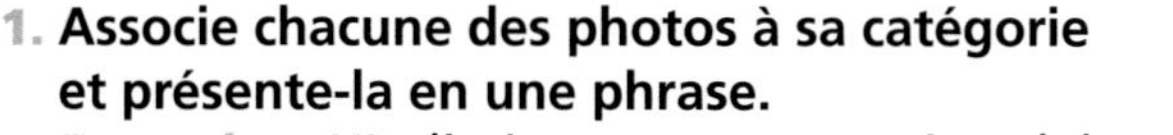

1. **Associe chacune des photos à sa catégorie et présente-la en une phrase.**
   Exemple: «*L'Italia è... un personaggio celebre come* ***Pinocchio***».
2. **En équipe:**
   a. Essayez de trouver d'autres mots italiens (noms, marques, spécialités ...) que l'on peut lire ou entendre (dans les livres, revues, publicités, films...) pour chaque catégorie et complétez la liste dans le cahier d'activités.
   b. Avec l'aide de votre professeur, entraînez-vous à prononcer correctement les mots trouvés.
   c. Présentez votre liste à la classe en soignant bien la prononciation.

Una cultura fantastica!

OBJECTIF
→ Évoquer des aspects incontournables de la culture italienne

Osserva, ascolta e parla

❶ ❷ ❸ ❹ ❺ ❻ ❼

1. **Observe ces images et dis ce qu'elles représentent.**
2. **Écoute attentivement la liste de mots enregistrés.**
3. **En équipe :**
   a. Entraînez-vous à mémoriser les mots et à les prononcer correctement en italien.
   b. Récitez cette liste devant la classe correctement et le plus rapidement possible. L'équipe gagnante est celle qui aura récité plusieurs fois ces mots sans en oublier et sans se tromper dans la prononciation.

PROGETTO INTERMEDIO

Che cos'è l'Italia per te?

1. **Complète la première page de ton cahier d'activités** en la décorant avec des images, des mots ou des dessins qui, pour toi, représentent le mieux l'Italie.
2. **En classe, présente chaque élément à tes camarades** en précisant à quelle catégorie il appartient :
   Ciao! Mi chiamo... e per me l'Italia è...

1. **Replace les lettres dans le bon ordre pour former un mot.**
   Exemple : *A-G-R-I F-A-F = GIRAFFA*

L-O-S-E = …

F-E-N-A-E-L-T-E = …

N-O-F-E-T-O-L-E = …

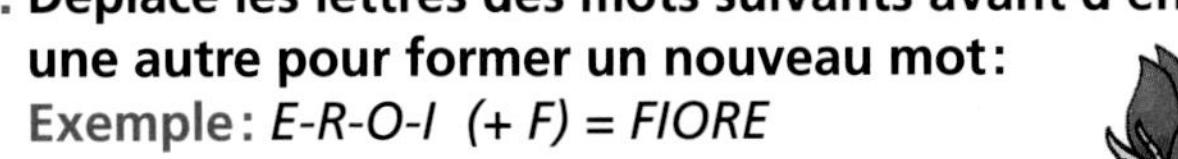

2. **Déplace les lettres des mots suivants avant d'en ajouter une autre pour former un nouveau mot :**
   Exemple : *E-R-O-I (+ F) = FIORE*

R-O-M-A = …

A-R-M-A = …

A-N-I-M-E = …

3. **Observe les vignettes et devine ce qu'a commandé le bébé.**

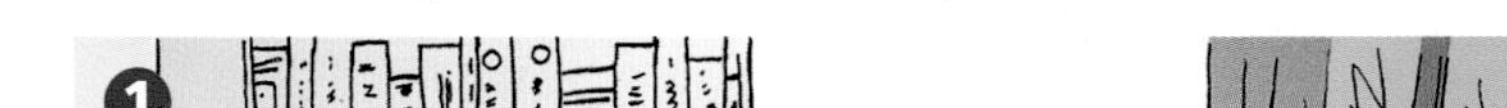

Scopriamo insieme

1. Rattache chaque mot à la catégorie à laquelle il appartient.

2. Écoute les mots puis entraîne-toi à les prononcer à l'italienne par catégorie.

Scioglilingua

Ho in tasca l'esca
ed esco per la pesca,
ma il pesce non s'adesca,
c'è l'acqua troppo fresca.

1

Sul mare ci sono
nove navi nuove,
una delle nove
non vuole navigare.

2

Chi sa che non sa, sa;
ma non sa
chi non sa
che non sa.

3

Lis les *scioglilingua*.

1. Essaye de les associer à une illustration.
2. Écoute les *scioglilingua*, puis répète et entraîne-toi ensuite à les prononcer le mieux possible.
3. Choisis celui que tu préfères et apprends-le par cœur.
4. En classe, faites un concours de prononciation.

Tocca a te!

Con il tuo professore, scegli uno di questi progetti.

1 *L'alfabeto italiano.*

Organisez un concours d'alphabet illustré.

1. Vous devez trouver, en temps limité, un maximum de mots commençant par une lettre différente. Les équipes rendent leur copie, le professeur désigne les vainqueurs.
2. À partir des mots trouvés par les vainqueurs du jeu 1, toute la classe complète, si nécessaire, l'alphabet.
3. Répartissez-vous les lettres entre chaque équipe et, à la maison, imprimez ou dessinez des illustrations pour en faire une affiche (par équipe). Puis présentez-la à la classe. On pourra voter pour la plus belle affiche (qui pourra être exposée au CDI et les autres dans la salle d'italien).

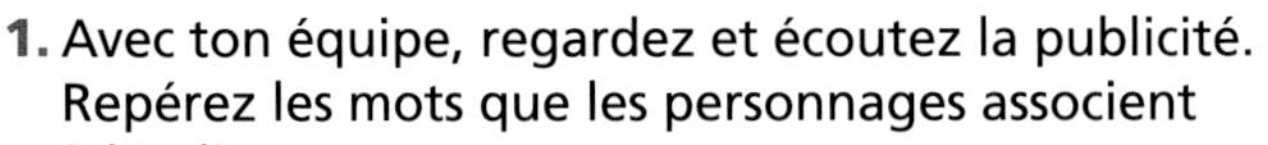

2 *Una pubblicità per l'Italia.*

Créez la bande-son d'une publicité sur l'Italie.

1. Avec ton équipe, regardez et écoutez la publicité. Repérez les mots que les personnages associent à l'Italie.
2. Inventez une nouvelle bande-son : chaque équipe choisit une lettre et donne sa définition de l'Italie à partir de cette lettre.
   Exemple : *L'Italia è per me:* ***A****more,* ***A****rte…*
3. Choisissez une musique typiquement italienne, vive et joyeuse.
4. Répartissez-vous les rôles (le monsieur âgé, la jeune femme, les enfants…).
5. Interprétez de façon expressive le rôle qui vous a été attribué.

Giro d'Italia

Tu vas apprendre à:

- compter en italien;
- identifier des villes, des régions et des monuments de l'Italie.

PROGETTO FINALE

Tu vas choisir entre :

1 jouer le rôle d'un présentateur de jeu télévisé ou celui d'un candidat;

2 créer puis jouer au jeu des sept régions.

UNITÀ 2 LEZIONE PRIMA

Uno, due, tre, stella!

OBJECTIF
→ Compter en italien jusqu'à 10

Ascolta, leggi e parla

❶ Una spiaggia

❷ Una pista nevosa

❸ Un lago

❹ Un vulcano

Italia, chi sei?

Sono **1** penisola con **2** grandi isole.
Sono un Paese esteso, con **3** climi diversi.
Ho **4** laghi immensi, **5** monti altissimi
6 città importanti, **7** vulcani attivi,
8 piazze celebri, **9** cifra e comune*…,
10 ragioni per visitarmi!

* Nove è un comune italiano (Veneto).

1. Écoute la *filastrocca* "Italia, chi sei?" puis répète à voix haute les chiffres qu'elle contient.
2. Entraîne-toi à prononcer la comptine complète puis apprends-la par cœur. Tu peux t'entraîner avec un camarade : il te donne un chiffre entre 1 et 10 et tu lui récites la phrase de la comptine qui correspond, puis c'est à ton tour de proposer un chiffre.

PER AIUTARTI (CD classe 1, Piste 26)

0 = zero	6 = sei
1 = uno	7 = sette
2 = due	8 = otto
3 = tre	9 = nove
4 = quattro	10 = dieci
5 = cinque	

PER AIUTARTI (CD classe 1, Piste 27)

→ p. 28-29

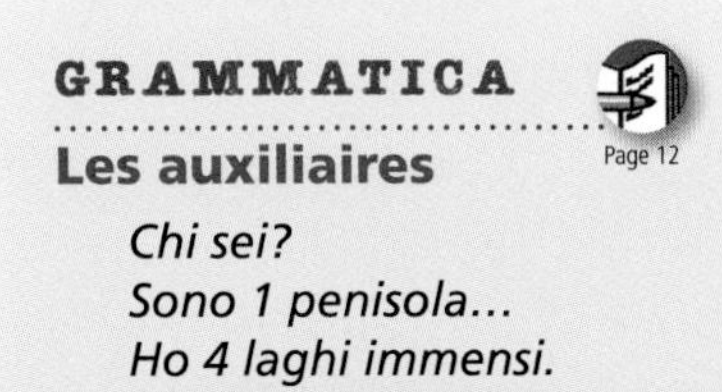

GRAMMATICA Page 12

Les auxiliaires

Chi sei?
Sono 1 penisola…
Ho 4 laghi immensi.

Sais-tu reconnaître dans ces exemples les auxiliaires *essere* (être) et *avere* (avoir) ? À quelles personnes sont-ils conjugués ?

→ p. 26

UNITÀ 2 LEZIONE PRIMA

I numeri del Giro

OBJECTIF
→ Apprendre à compter jusqu'à 32

Ascolta, leggi e parla

CD classe 1 Piste 31  MP3 Piste 26  Page 13 

1. **Écoute le reportage et repère les informations suivantes :**
a. les nombres cités par la journaliste ;
b. les termes qui leur sont associés ;
c. le nom d'une ville.
2. **Essaye de reconstituer la phrase complète.**

PER AIUTARTI

CD classe 1 Piste 30 

la tappa
la squadra
i corridori
la nazione
maggio

PER AIUTARTI

CD classe 1 Piste 29  Page 13

10 = dieci
11 = undici
12 = dodici
13 = tredici
14 = quattordici
15 = quindici
16 = sedici
17 = diciassette
18 = diciotto
19 = diciannove
20 = venti
21 = ventuno
22 = ventidue
23 = ventitré
24 = ventiquattro
25 = venticinque
26 = ventisei
27 = ventisette
28 = ventotto
29 = ventinove
30 = trenta
31 = trentuno
32 = trentadue

PRONUNCIA

CD classe 1 Piste 32 MP3 Piste 27 

Les doubles consonnes

Écoute attentivement la prononciation des mots suivants :

Tappe, diciassette, diciannove

Que remarques-tu ?

→ p. 27

PROGETTO INTERMEDIO

 Sei pronto per il progetto? Page 13

Crea una filastrocca

1. **Essaye de créer à ton tour une comptine sur l'Italie ou le *Giro* en utilisant cinq chiffres de ton choix.**
2. **Lis-la à tes camarades.**

UNITÀ 2 LEZIONE SECONDA

Il Bel Paese

OBJECTIF
→ Identifier les régions italiennes

TRENTINO ALTO-ADIGE
LOMBARDIA
VALLE D'AOSTA
Aosta
Trento
FRIULI-VENEZIA GIULIA
Trieste
Milano
Venezia
VENETO
Torino
PIEMONTE
Bologna
EMILIA-ROMAGNA
Genova
LIGURIA
Ancona
Firenze
MARCHE
TOSCANA
Perugia
UMBRIA
ABRUZZO
L'Aquila
MOLISE
ROMA
Campobasso
LAZIO
PUGLIA
Bari
Napoli
Potenza
CAMPANIA
BASILICATA
SARDEGNA
Cagliari
CALABRIA
Catanzaro
SICILIA
Palermo

Guarda, leggi e parla

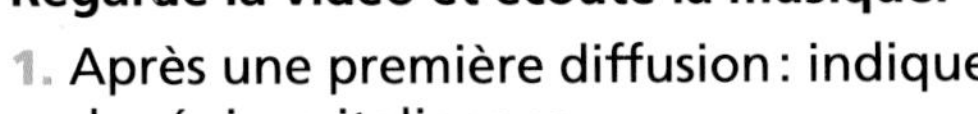

Regarde la vidéo et écoute la musique.

1. Après une première diffusion : indique le nombre de régions italiennes.
2. Après une deuxième diffusion, avec ton équipe et après avoir entendu le nom des villes prononcé par votre professeur :
   a. relevez le nom de chaque ville ;
   Exemple : *Genova*
   b. à l'aide de la carte de votre manuel, indiquez dans quelle région elle se trouve ;
   Exemple : *LIGURIA*
   c. faites une phrase complète.
   Exemple : *Genova è in LIGURIA.*

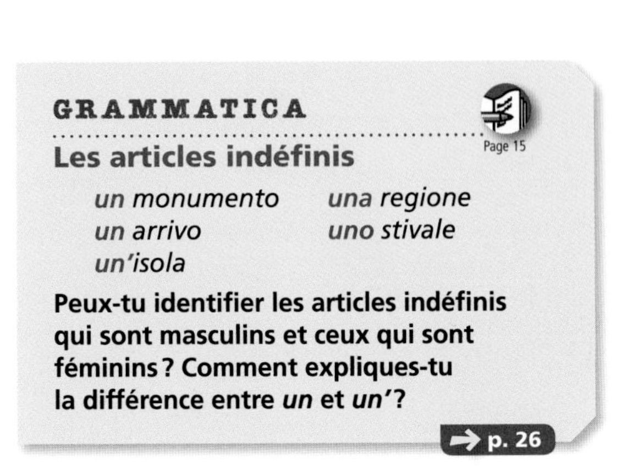

GRAMMATICA

Page 15

Les articles indéfinis

un monumento	*una regione*
un arrivo	*uno stivale*
un'isola	

Peux-tu identifier les articles indéfinis qui sont masculins et ceux qui sont féminins ? Comment expliques-tu la différence entre *un* et *un'*?

→ p. 26

LEZIONE SECONDA

Una città, un monumento

OBJECTIF
→ Identifier des monuments italiens

Osserva, ascolta e parla

CD classe 1 Piste 34

Piste 28

Page 16

1 Palazzo Vecchio

2 la Reggia

3 il teatro greco

4 la Fontana delle 99 cannelle

Écoute l'enregistrement.

1. Retrouve le prénom des personnes qui s'expriment.
2. Écoute à nouveau et relève où se trouve le monument représenté sur chaque photo. Ouvre ton cahier d'activités et complète les légendes des photos.
3. Sers-toi de la carte complétée dans ton cahier d'activités et présente les plus beaux monuments d'Italie.

PER AIUTARTI
CD classe 1 Piste 33

intervistare	la bellezza
preferito	invidiare

PROGETTO INTERMEDIO

Sei pronto per il progetto? Page 16

Il gioco delle regioni

1. **Chacun réfléchit à une région italienne de son choix.**
2. **À tour de rôle, vous donnez en italien deux indices** (première lettre de la région, le nombre de lettres qu'elle contient et / ou le nom d'une ville qui en fait partie...).
3. **Les camarades doivent trouver de quelle région il s'agit le plus rapidement possible.** Pour gagner un point, il faut pouvoir épeler en entier le nom de la région.

GRAMMATICA

➜ Précis grammatical p. 104

Les auxiliaires *essere* et *avere*

Avere e essere

avere	essere
ho	sono
hai	sei
ha	è
abbiamo	siamo
avete	siete
hanno	sono

La plupart du temps, les auxiliaires ***essere*** et ***avere*** s'emploient comme en français.

EXEMPLE L'Italia **è** una penisola e **ha** quattro laghi immensi.

Attention à ne pas confondre è (« est ») avec e (« et »).

EXEMPLE L'Italia **è** una penisola **e** ha quattro laghi immensi.

1 Recopie les phrases suivantes en conservant le bon auxiliaire :

1. L'Italia **ha / è** tre catene di montagne.
2. **Ho / sono** tredici anni.
3. **Hai / sei** a Palermo o a Siracusa?
4. La Liguria **ha / è** una regione.
5. Il teatro greco **ha / è** a Taormina.

2 Trouve l'auxiliaire qui convient dans les phrases suivantes et conjugue-le à la bonne personne :

1. Venezia ... una città bellissima.
2. Io ... una passione per l'Italia.
3. Tu non ... italiano.
4. Io ... francese.
5. L'Italia ... sette vulcani attivi.
6. Tu ... 12 anni?

Les articles indéfinis

Gli articoli indeterminativi

masculin		féminin	
un	**un** monumento **un** arrivo	una	**una** regione
uno	**uno** stivale	un'	**un'**isola

Contrairement au français, en italien, l'article indéfini ne se limite pas à deux possibilités (le masculin ***un*** ou le féminin ***una***) mais dépend du mot qu'il précède.

- Au masculin, on mettra l'article ***uno*** uniquement si le mot commence par un *s-* + une consonne (*sb-*, *sc-*, *sd-*, *sf-*...) ou un *z-*.

EXEMPLE **uno s**portivo

Dans tous les autres cas, on met toujours l'article ***un***.

EXEMPLES **un** animale
un dottore
un hotel

- Au féminin, on mettra l'article *un'* uniquement si le mot commence par une voyelle.

EXEMPLE **un'a**uto

Dans les autres cas, on met toujours l'article ***una***.

EXEMPLES **una** pizza
una zebra
una sportiva

3 Complète avec l'article indéfini qui convient :

1. ... paese magnifico
2. ... lago alpino
3. ... clima mediterraneo
4. ... collina vulcanica
5. ... vulcano attivo
6. ... città antica
7. ... piazza famosa
8. ... spazio delimitato
9. ... automobile italiana

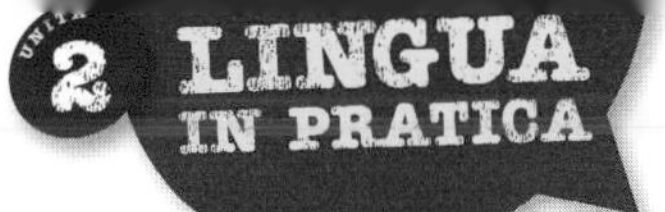

GRAMMATICA

4 **Trouve l'article indéfini qui manque.**

Sandro è appassionato di ciclismo. Nel suo album, ci sono le foto di ... squadra americana famosa, ... sprinter eccezionale, Fausto Coppi, ... corridore italiano mitico, ... ammiraglia[1] del *Tour de France* e di ... arrivo molto conteso[2]!

1. Nel ciclismo, è l'automobile del direttore tecnico di una squadra. 2. *disputé*

5 **Complète avec l'article indéfini qui convient et associe avec le bon adjectif.**

estesa — italiana — siciliano — altissimo — profondo

1. Il monte bianco è ... monte.
2. Il lago maggiore è ... lago.
3. La Sicilia è ... regione.
4. L'Etna è ... vulcano.
5. La Sardegna è ... isola.

6 **Donne pour chaque dessin le nom qui correspond avec l'article indéfini qui convient.**

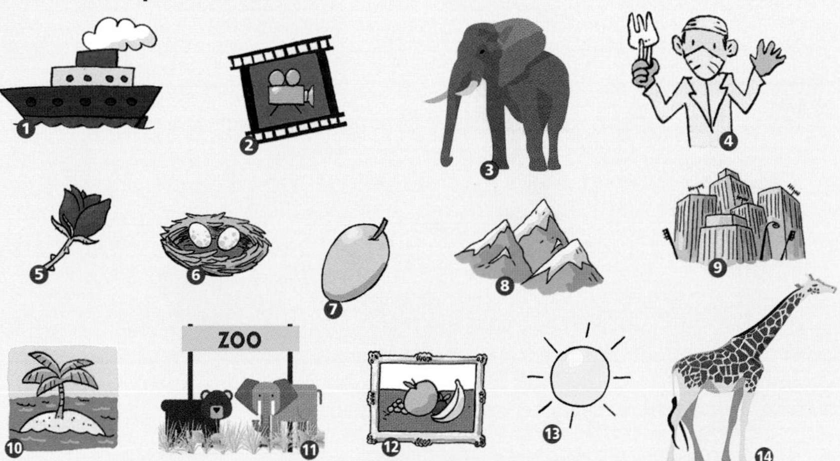

PRONUNCIA

Les doubles consonnes

Piste 35 — Piste 29 — Page 17

▸ Les doubles consonnes doivent être prononcées avec plus de force que les simples consonnes.
Il peut y avoir confusion si cette règle n'est pas respectée.

EXEMPLES sono *(je suis)* / sonno *(sommeil)*
sete *(soif)* / sette *(sept)*
capello *(cheveu)* / cappello *(chapeau)*

7 **Reconstitue les binômes de mots (avec une consonne simple et double) et prononce-les !**

1. nota *au pluriel* - 2. toro *au pluriel* - 3. canna *au pluriel* - 4. pane *au pluriel* - 5. torre *au pluriel* - 6. panno *au pluriel*

La geografia fisica

CD classe 1 Piste 37 · MP3 Piste 30 · Page 18

Géographie

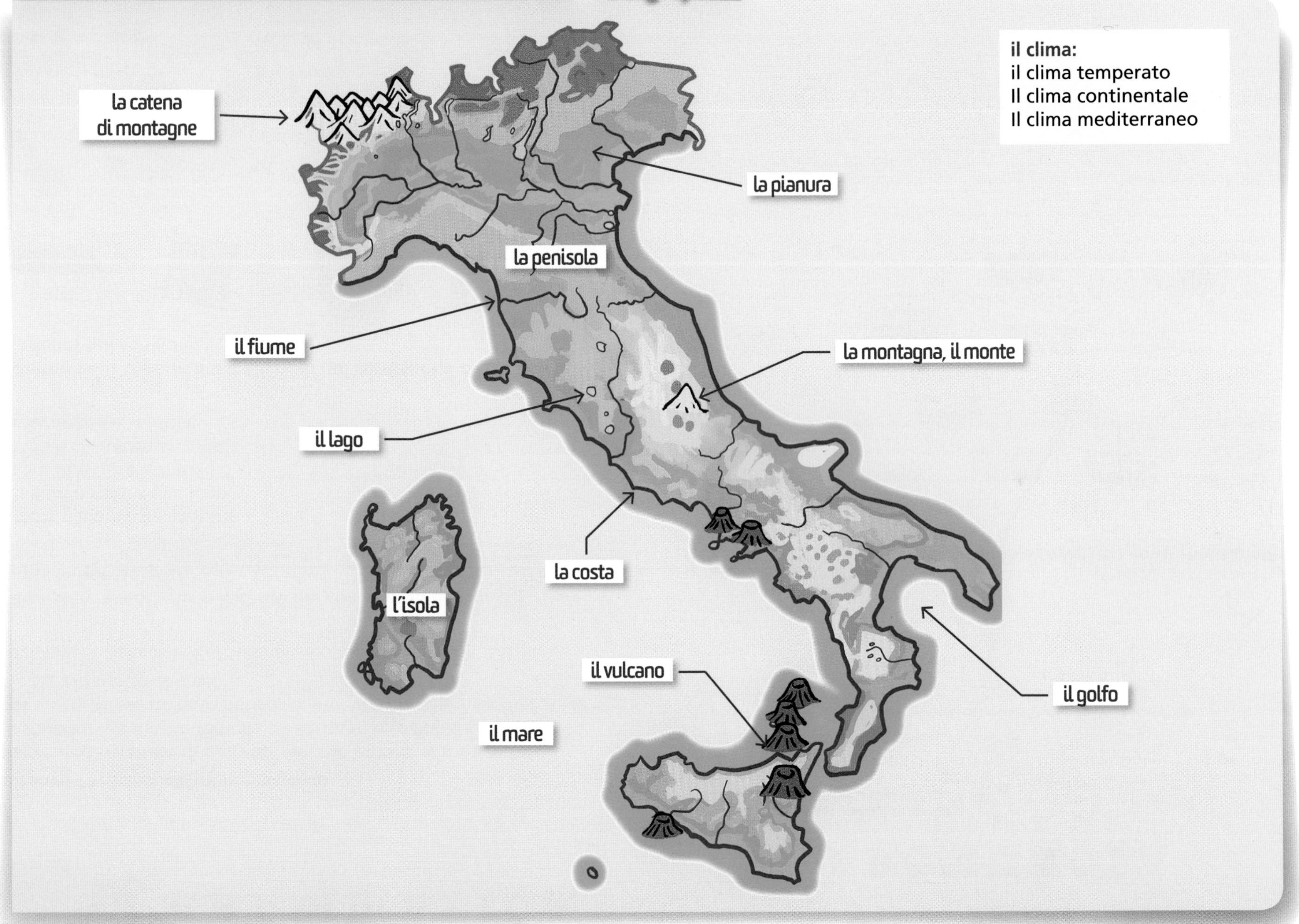

La geografia amministrativa

Géographie

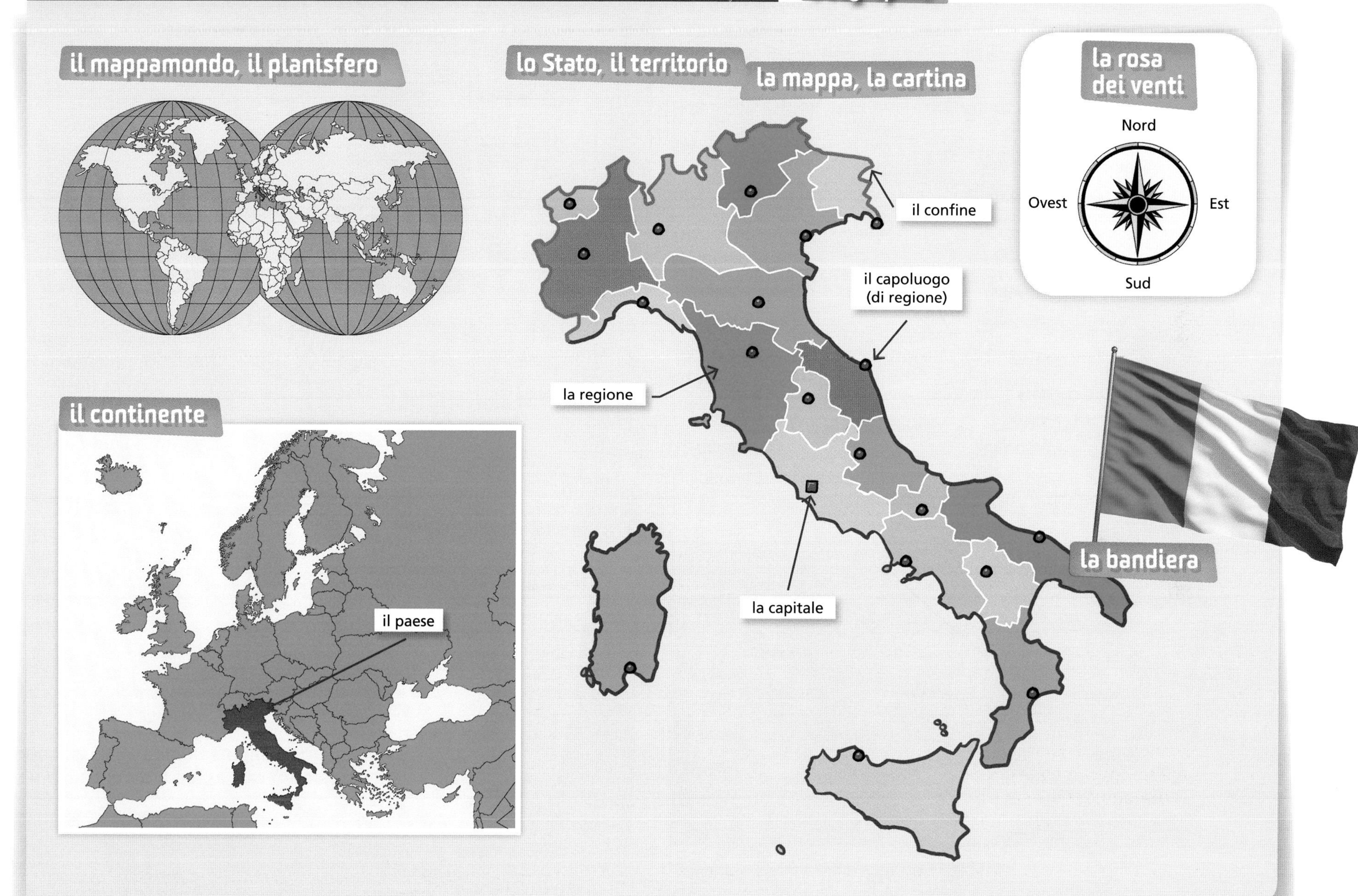

1. Con i numeri

Lis en italien la série de chiffres ci-dessous et donne les deux nombres suivants :

1 1 2 3 5 8 ooo ooo

3. Pronto!

1. Écris ton nom et ton numéro de téléphone sur une feuille.

2. Tire au sort le nom d'un camarade et lis (en italien) son numéro.

3. Ton camarade doit reconnaître son numéro et dire : « Pronto! ».

2. La parola d'ordine

Guardia = Parola d'ordine! 12!
Soldato = 6!
Guardia = 10!
Soldato = 5!
Guardia = 8!
Soldato = 4!
Guardia = 6!
Soldato = 3!
Guardia = Passa…

Guardia = Parola d'ordine! 12!
Impostore = 6!
Guardia = 10!
Impostore = 5!
Guardia = 8!
Impostore = 4!
Guardia = 6!
Impostore = 3!
Guardia = 4!
Impostore = 2!
Guardia = Allarme!

Tu es un espion et tu dois entrer dans un lieu secret.

1. Lis le dialogue ci-dessus entre un garde et un soldat puis entre le même garde et un imposteur et essaye de trouver le bon mot de passe…

2. Amusez-vous à jouer le dialogue en inventant d'autres mots de passe à décoder !

4. Le regioni

Tous les élèves observent la carte.

1. Un premier élève donne le nom d'une région (à la 1re personne du singulier).
2. Tous les autres élèves localisent la région sur la carte et repèrent les éléments du paysage naturel qu'elle comporte *(montagne, laghi, vulcani)*.
3. Le plus rapide qui répond de façon exacte (à la 2e personne du singulier) gagne un point.
4. Il doit, à son tour, donner le nom d'une région. Celui qui a comptabilisé le plus de points a gagné.

Exemple :
Sono la Sicilia…
Réponse :
Hai tre vulcani!

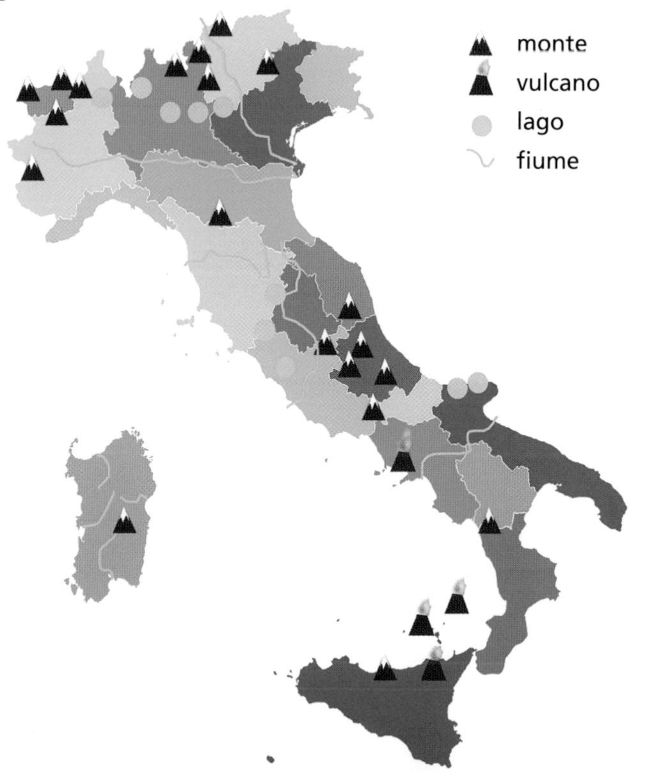

monte
vulcano
lago
fiume

5. Per le vacanze andiamo in ... a ... per ...

Par équipe de quatre, vous devez faire deviner une région et une ville italiennes et la raison pour laquelle vous les avez choisies pour vos prochaines vacances.

1. Le premier élève mime une lettre avec ses doigts et les autres équipes doivent deviner le nom de la région.
2. Le deuxième élève mime une lettre avec ses doigts et les autres équipes doivent deviner le nom de la ville.
3. Le troisième élève mime une activité, un monument, un événement… Et les autres élèves doivent le deviner.
4. Le quatrième reprend chaque élément dans une phrase.

Exemple :
Sì! Avete indovinato! Per le vacanze andiamo in VENETO a VENEZIA per IL CARNEVALE!

Scopriamo insieme

Le regioni d'Italia

CD classe Piste 39 · MP3 Piste 33

Amo il Piemonte per le sue campagne,
la Val d'Aosta per le sue montagne.
Sogno i bei laghi della Lombardia,
occhi celesti dell'Italia mia. […]
Terre d'Italia, mie venti regioni,
siete venti bellissime visioni!

Francesco Santucci

▸ **Écoute puis apprends par cœur cette poésie et récite-la.**

I NUMERI ROMANI

1 = I	10 = X	20 = XX
2 = II	11 = XI	50 (CINQUANTA) = L
3 = III	12 = XII	100 (CENTO) = C
4 = IV	13 = XIII	
5 = V	14 = XIV	
6 = VI	15 = XV	
7 = VII	16 = XVI	
8 = VIII	17 = XVII	
9 = IX	18 = XVIII	
	19 = XIX	

▸ **Lis à voix haute (et en italien) les chiffres romains suivants : IX, XIII, VII, XXIV.**

Lo sguardo dell' artista

Histoire des arts

Dinamismo di un ciclista, Umberto Boccioni, 1913, Venezia, Museo Guggenheim

Dinamismo di un ciclista

Peux-tu retrouver dans ce tableau le cycliste, les éléments du vélo qui sont présents et ceux qui manquent ?

PER AIUTARTI

CD classe 1 Piste 40

1. la bici
2. il pedale (i pedali)
3. la ruota (le ruote)
4. il manubrio
5. la sella
6. il telaio

LO SAI?

Il **futurismo** è un movimento[1] artistico italiano del XX secolo che celebra la bellezza[2] della velocità e del progresso.

1. un mouvement
2. la beauté

Tocca a te!

Con il tuo professore, scegli uno di questi progetti.

1 *Gioco televisivo.*

Avec ton équipe, organisez un jeu télévisé.

1. Préparez huit cartes en inscrivant sur chacune le nom de quatre villes et de quatre monuments ou paysages naturels (*montagne, vulcani…*).
2. À tour de rôle, lisez correctement le mot d'une carte aux autres équipes.
3. Les autres équipes doivent répéter le mot et donner le plus d'informations possibles. L'équipe qui répond correctement gagne un point.

   Exemple : *Laghi* → *L'Italia ha quattro laghi immensi. Un lago si trova in Piemonte e in Lombardia.*

   Attention : tous les membres d'une équipe doivent prendre la parole, à tour de rôle.

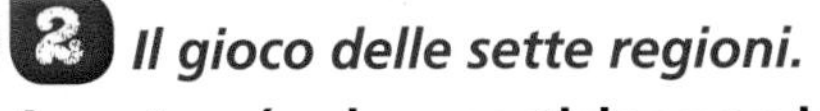

2 *Il gioco delle sette regioni.*

Avec ton équipe, participez au jeu des sept régions.

1. Constituez sept équipes. Chaque équipe prépare une carte en y inscrivant le nom d'une région accompagné de son chef-lieu, d'un monument célèbre et d'un paysage ou d'un élément caractéristique (situation géographique, nord, sud, région voisine…).
2. Les cartes ainsi constituées (une par équipe) sont mélangées, distribuées puis, à tour de rôle, chaque équipe lit correctement un à deux mots de la carte qu'elle a reçue à l'équipe dont c'est le tour de jouer.
3. À partir de l'indication donnée, l'équipe en question doit deviner de quelle région il s'agit. Elle doit prononcer le nom de la région correctement pour gagner la carte. L'équipe qui obtient le plus de cartes à la fin du jeu a gagné.

Italia senza frontiere

UNITÀ 3

Tu vas apprendre à:

- te présenter;
- présenter quelqu'un;
- demander et donner des informations personnelles;
- présenter un pays européen;
- présenter une famille.

PROGETTO FINALE

Tu pourras choisir entre:

1. **avec un camarade, présenter vos destinations préférées.**
2. **inventer une famille imaginaire.**
3. **créer une carte européenne géante.** 

UNITÀ 3 LEZIONE PRIMA

Monumenti europei

OBJECTIF
→ Parler des pays et des nationalités

Ascolta, leggi e pronuncia

CD classe 1 Pistes 43-44 · MP3 Pistes 35-36 · Page 20

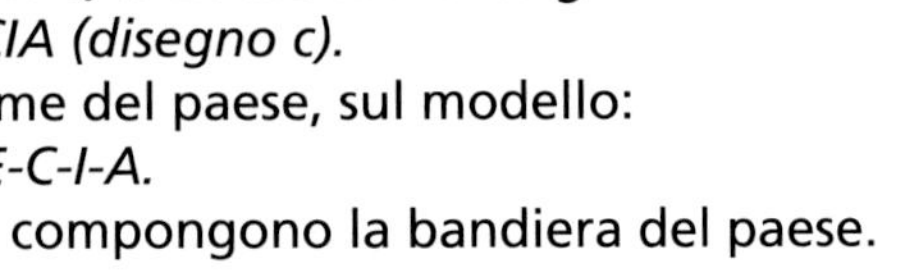

1. **Con la tua squadra:**
   a. Associate ogni monumento al suo paese, sul modello:
   L'Acropoli (foto n°1) è un monumento greco.
   Si trova In GRECIA (disegno c).
   b. Compitate il nome del paese, sul modello:
   GRECIA = G-R-E-C-I-A.
   c. Dite i colori che compongono la bandiera del paese.

2. **Con le altre squadre:**
   a. Una squadra dice ad alta voce il numero di un monumento.
   b. Le altre squadre devono dare tutte le informazioni possibili.
   c. Vince la squadra che non fa errori.

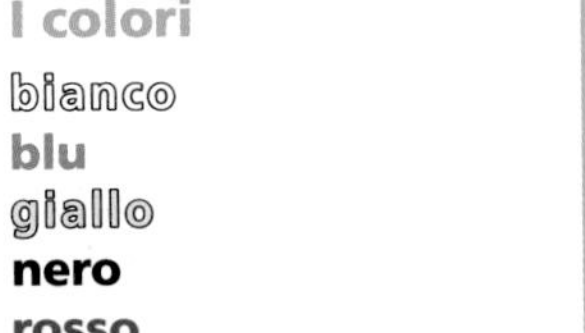

PER AIUTARTI (CD classe 1, Piste 42)

I colori
bianco
blu
giallo
nero
rosso
verde

→ p. 43

PRONUNCIA (CD classe 1, Piste 45; MP3 Piste 37)

Les diphtongues

aereo	europeo
aiuto	Laura
ciao	viaggio

Écoute l'enregistrement et sois attentif / attentive aux mots que tu entends. Quelles remarques peux-tu faire au sujet de la prononciation des voyelles ?

→ p. 41

1 l'Acropoli

2 il Colosseo

3 la Torre di Belem

4 la Fontana di Trevi

5 Big Ben

6 la Sagrada Familia

7 la Porta di Brandeburgo

8 la Torre Eiffel

l'Inghilterra inglese	la Grecia greco	la Francia francese	la Spagna spagnolo	il Portogallo portoghese	l'Italia italiano	la Germania tedesco

a 

b

c 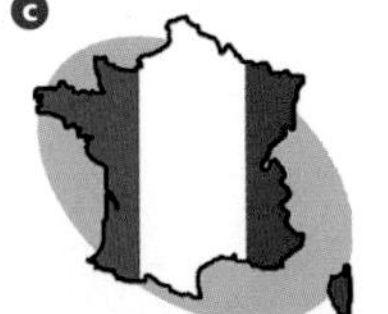  

d  

e  

f 

g 

Amici d'Europa

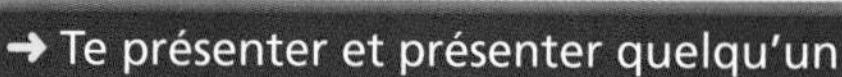

→ Te présenter et présenter quelqu'un

1. Giochiamo insieme

Con la tua squadra:

1. Osservate il documento e formulate cinque domande sui giovani.
2. Fate le domande alle altre squadre.
3. Segnate i punti di ogni squadra alla lavagna. Per una risposta corretta in una frase completa, vincete un punto.

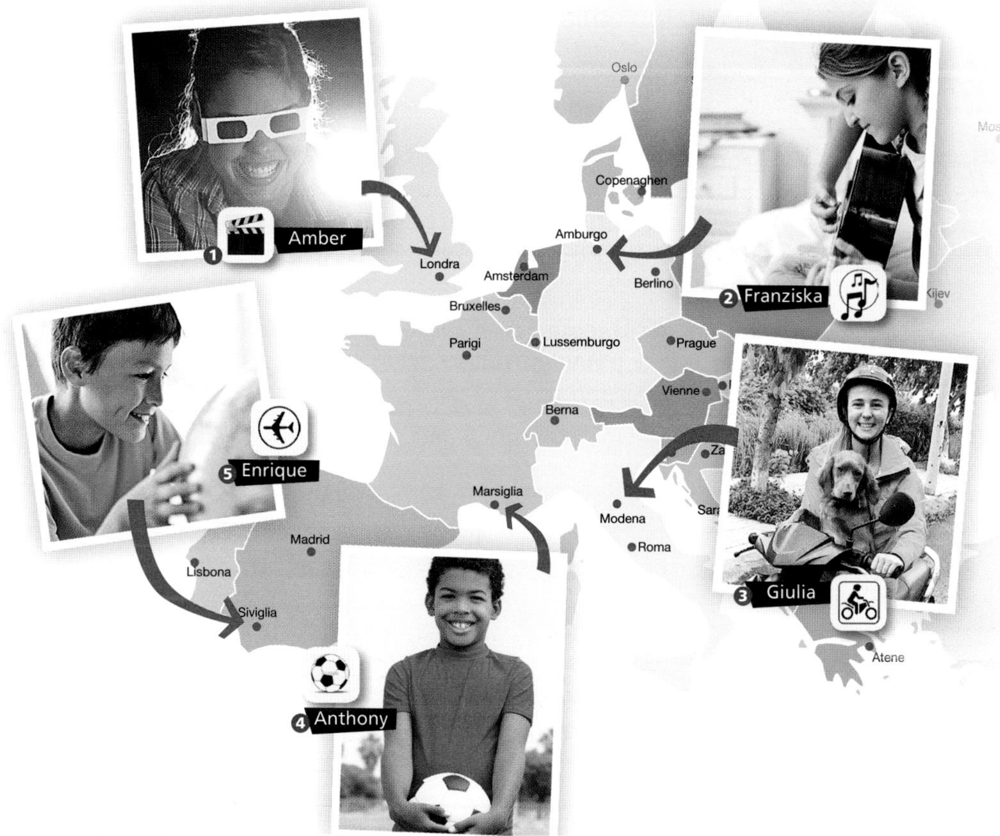

2. Parla

Adesso presentati alla classe:
nome, cognome, luogo di nascita e di residenza, passione...

il ragazzo	la ragazza	gli animali
viaggiare	i libri	la moda
il calcio	il disegno	il motorino
il cinema	la musica	

PER AIUTARTI

Per presentarti:

(Io) sono...
Sono un / una...
Vivo a... in...
Sono nato(-a) a... in...
Parlo...
Adoro...

Per presentare qualcuno:

Come si chiama il ragazzo / la ragazza?
→ (Lui / Lei) si chiama... / È un / una...
Dove abita? → Abita / Vive a... in...
Dov'è nato / nata? In quale paese?
→ È nato / nata a... in...
Che cosa adora? → Adora...

GRAMMATICA

Le masculin et le féminin

un ragazzo, un amico, un paese
una ragazza, un'amica, una capitale
ragazzo inglese — amico italiano
ragazza inglese — amica italiana

Observe les noms** (ragazzo...) **et les adjectifs** (inglese...). **Par quelle(s) voyelle(s) se terminent-ils au masculin? Et au féminin?

→ p. 40

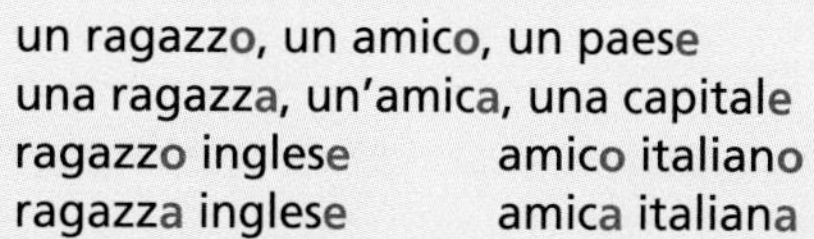

Presenta un personaggio europeo celebre.

1. ***Cherche la photo du personnage de ton choix.***
2. ***Présente-le à la classe*** *(prénom, nom, nationalité, lieu de naissance, de résidence, langue, passion...).*

UNITÀ 3 LEZIONE SECONDA

Amici in rete

OBJECTIF
→ Présenter ta famille

Leggi, ascolta e parla

CD classe 1 Pistes 50-51 · MP3 Pistes 40-41 · Page 23

1. **Leggi il messaggio. Trova:**
   a. chi scrive;
   b. a chi scrive.

2. **Ascolta la conversazione.**
   A seconda della tua squadra, ritrova:
   a. le informazioni che riguardano il ragazzo;
   b. le informazioni che riguardano la ragazza;
   c. le domande che si fanno tra di loro.

PER AIUTARTI CD classe 1 Piste 49

→ p. 42

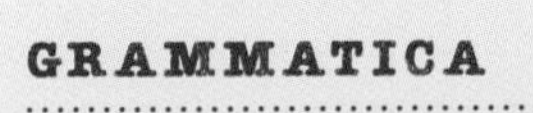

GRAMMATICA Page 25

Le présent de l'indicatif

Che lingue parli?
Quanti anni hai, Chiara?
Ma perché vivi in Irlanda Chiara?

Observe ces verbes que tu connais déjà. Peux-tu deviner la personne de conjugaison ? Que remarques-tu ?

Saurais-tu reconstituer la conjugaison des personnes du singulier de ces verbes ?

Les verbes pronominaux

Ti trovi bene?
Mi sento bene.
Si chiama Raffaella.

Observe ces verbes. Que remarques-tu ?

→ p. 40

Famiglie famose

OBJECTIF
→ Parler des liens familiaux

Giochiamo insieme

Indovina chi è!
Con il tuo compagno:

1. Scegli un personaggio fra le famiglie seguenti.
2. Il tuo compagno ti fa domande per indovinare chi è.
3. Rispondi solo con «sì» o «no».

Monica Bellucci e Vincent Cassell

Roberto Benigni e Nicoletta Braschi

Geppetto e Pinocchio

Andrea, Niccolò e Angela Pirlo

Luigi e Mario Bros

Laura e Silvia Pausini

PER AIUTARTI

CD classe 1 – Piste 52

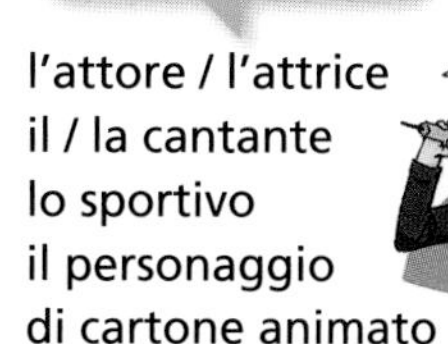

l'attore / l'attrice
il / la cantante
lo sportivo
il personaggio di cartone animato

giovane / vecchio
recitare (in un film)
praticare (uno sport)

GRAMMATICA

Page 27

Le pluriel des noms et des adjectifs

un nonno italiano → due nonni italiani
una cugina spagnola → due cugine spagnole
un padre inglese → due padri inglesi
una capitale europea → due capitali europee

Quelle terminaison du singulier donne -e au pluriel? Dans les autres cas, quelle est la marque du pluriel qui revient toujours?

→ p. 41

PROGETTO INTERMEDIO

Sei pronto per il progetto? Page 27

Indovina chi sei!

1. *Tes camarades écrivent le nom d'un personnage sur un papier qu'ils placent devant toi de façon à ce que toute la classe puisse le voir... sauf toi.*
2. *Tu dois poser des questions pour deviner « qui tu es ». Pense aux liens de parenté!* *Si tu ne trouves pas après 10 questions, tu as droit à 3 indices.*

Exemples: Sono un ragazzo? Sono un attore? Sono francese? Ho una moglie?

GRAMMATICA

➔ Précis grammatical p. 104

Le genre des noms et des adjectifs

Il genere dei nomi e degli aggettivi

	masculin	féminin
majorité des cas	-o	-a
moins souvent	-e	-e
quelques rares cas	-a	

EXEMPLES amic**o** italian**o** – amic**a** italian**a**
ragazz**o** frances**e** – ragazz**a** frances**e**
turist**a** spagnol**o** – turist**a** spagnol**a**
padr**e** simpatic**o** – madr**e** simpatic**a**

1 Retrouve le genre opposé des expressions suivantes :

1. ragazza tedesca **2.** amico greco
3. italiano felice **4.** giovane spagnolo
5. francese simpatica **6.** professore portoghese

Repère la voyelle finale !

Le présent de l'indicatif

L'indicativo presente

Les terminaisons des verbes à l'infinitif permettent de les classer en trois catégories :

- *-are* : *abitare, presentare, parlare* appartiennent au 1er groupe ;
- *-ere* : *vivere* appartient au 2e groupe ;
- *-ire* : *sentire* appartient au 3e groupe.

adorare	vivere	sentire
ador**o**	viv**o**	sent**o**
ador**i**	viv**i**	sent**i**
ador**a**	viv**e**	sent**e**
adoriamo	viviamo	sentiamo
adorate	vivete	sentite
adorano	vivono	sentono

En revanche, ***essere*** comme ***avere*** sont deux verbes auxiliaires.

Le pronom personnel sujet n'est pas nécessaire, sauf pour insister sur le sujet.

EXEMPLES Ho una sorella e un fratello. *J'ai un frère et une sœur.*
Io ho due fratelli. ***Moi,*** *j'ai deux frères.*

Les verbes pronominaux

I verbi riflessivi

Un verbe pronominal, comme son nom l'indique, s'emploie avec un pronom personnel réfléchi (***mi, ti, si, ci, vi, si***) comme en français.

chiamarsi	mettersi	sentirsi
mi chiamo	**mi metto**	**mi sento**
ti chiami	**ti metti**	**ti senti**
si chiama	**si mette**	**si sente**
ci chiamiamo	ci mettiamo	ci sentiamo
vi chiamate	vi mettete	vi sentite
si chiamano	si mettono	si sentono

2 Complète les phrases avec la bonne conjugaison des verbes suivants :

mettersi *prepararsi* *chiamarsi* *presentarsi* *sentirsi*

1. «Ciao! ... Luca e sono italiano. E tu come ... »?
2. Luigi ... il casco quando prende la moto.
3. Sofia e Anna ... per la competizione.
4. Buongiorno ragazzi! ..., sono Chiara Rossi, la professoressa d'italiano.
5. In classe, ho compagni simpatici. ... bene con loro.

3 Transforme les phrases suivantes :

1. (Chiamarsi / lui) Eliott.
2. Un'amica spagnola (vivere / lei) a Barcellona.
3. (Presentarsi / io), (chiamarsi / io) Matteo. (Essere / io) italiano e (avere / io) molti amici.
4. (Adorare / io) i viaggi e (partire / io) quando un'occasione (presentarsi / lei).
5. (Essere / tu) la sorella di Luigi? (Vivere / tu) a Milano?

GRAMMATICA

Le pluriel des noms et des adjectifs

Il plurale dei nomi e degli aggettivi

Le passage au pluriel suit généralement le tableau ci-dessous :

	singulier	pluriel
masculin	-o / -a	-i
féminin en *-a*	-a	-e
masculin / féminin	-e	-i

EXEMPLES amic**o** italian**o** – amic**i** italian**i**
ragazz**a** italian**a** – ragazz**e** italian**e**
aere**o** frances**e** – aere**i** frances**i**
compagni**a** frances**e** – compagni**e** frances**i**
turist**a** spagnol**o** – turist**i** spagnol**i**
turist**a** spagnol**a** – turist**e** spagnol**e**

Les noms et les adjectifs s'accordent chacun selon leur voyelle finale.

4 Quel est le pluriel de :

1. lingua straniera
2. personaggio piccolo
3. attore interessante
4. cugino irlandese
5. nonna piemontese
6. ragazza inglese
7. attore francese
8. sportivo portoghese
9. capitale europea

5 Quel est le singulier de :

1. nomi europei
2. regioni italiane
3. artiste portoghesi
4. cugini inglesi
5. paesi bellissimi
6. cantanti italiane
7. sportive europee
8. attrici italiane
9. monumenti francesi

PRONUNCIA

Les diphtongues

▸ Les voyelles se prononcent de manière bien distincte, même dans les diphtongues : pas de -e muet, u = [u], o = [ɔ].
EXEMPLE Europa = E-U-ROPA (prononcer É-OU-ROPA)

L'accent tonique

Écoute la prononciation des mots suivants et repère sur quelles syllabes on insiste avec la voix :

EXEMPLES
- papà
- unico
- zia
- città
- papa
- celebre
- fratellastro

Que remarques-tu sur la position des syllabes accentuées à l'intérieur de chaque mot ?

Contrairement au français dont les mots sont toujours accentués sur la dernière syllabe, chaque mot a un accent tonique sur lequel la voix insiste, donnant ainsi un rythme musical à la langue italienne réputée pour être chantante ou mélodieuse.

▸ La majorité des mots sont accentués sur l'avant-dernière syllabe.
EXEMPLES ragazzo = RA-GAZ-ZO
amica = A-MI-CA

▸ Quelques mots sont accentués sur l'avant-avant-dernière syllabe.
EXEMPLES simpatico = SIM-PA-TI-CO
parlano = PAR-LA-NO

▸ Peu de mots le sont sur la dernière syllabe (et, dans ce cas seulement, l'accent est écrit).
EXEMPLES città = CIT-TÀ
lunedì = LU-NE-DÌ

La famiglia

CD classe 1 Piste 61 · MP3 Piste 50 · Page 29

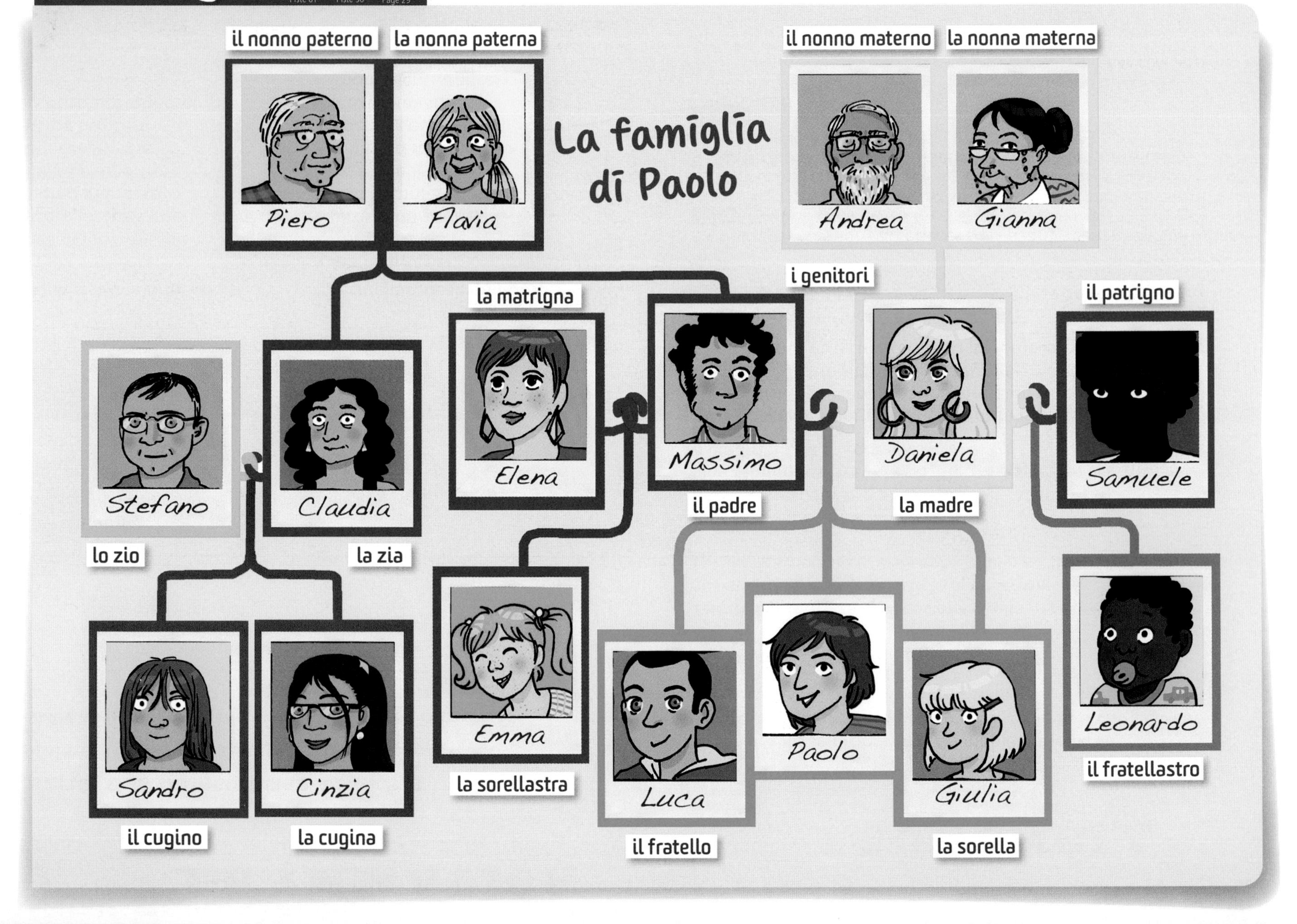

I colori

CD classe 1 Piste 62 · MP3 Piste 51 · Page 29

Arts visuels

Le famose case colorate di Burano, Venezia

1 blu
2 marrone
3 verde
4 bianco
5 viola
6 nero
7 grigio
8 arancione
9 rosso
10 rosa
11 azzurro
12 giallo

1. Indovinello

Due padri e due figli entrano in una panetteria.
Ognuno *(chacun)* **compra un croissant.**
In tutto la panettiera vende tre croissant. Perché?

2. Il cruciverba della famiglia

Orizzontali

3. La sorella di mia *(ma)* madre.
6. La figlia di mia madre.
7. È la figlia di mio *(mon)* nonno e la moglie di mio padre.
8. Il padre di mio padre.
9. È la sorella di mio cugino.

Verticali

1. La figlia della moglie di mio padre.
2. Non è mio padre, ma è il marito di mia madre.
4. Mio padre è suo *(son)* padre.
5. Il figlio di mio zio.

3. Bandiere europee

Indica i colori di una bandiera europea e fa' indovinare di quale paese si tratta.

Celui qui trouve en premier la réponse gagne 1 point et il doit poser à son tour une devinette. Il gagne à nouveau un point s'il formule correctement sa devinette.

Celui qui a le plus de points a gagné.

Esempio: Sono rosso e bianco. Chi sono?
Risposta: Sono la Svizzera!

4. Gioco delle nazionalità

▸ Qual è la nazionalità dei personaggi famosi seguenti?

Sono nata a Brindisi.

Flavia Pennetta

Sono nato a Chester.

Daniel Craig

Sono nato a Lagny-sur-Marne.

Pogba

Sono nato a Malaga.

Picasso

Siamo nati a Funchal e a Almada.

Cristiano Ronaldo

Luis Figo

Lingue europee

Langues vivantes

Piste 63

Page 30

5. Come dire buongiorno?

ceco	Dobrý den
danese	Goddag
finlandese	Hyvää päevää
•••	Bonjour
•••	Kalimera
•••	Good morning
irlandese	Dia dhuit
•••	Buongiorno
maltese	bonġu
neerlandese	Goededag
polacco	Dzień dobry
•••	Bom dia
rumeno	Bună ziua
•••	Buenos días
svedese	God dag
•••	Guten tag
ungherese	Jó napot

▸ **Ascolta. Poi completa la lista delle lingue europee nel tuo quaderno d'attività.**

Scopriamo insieme

Una squadra europea

il portiere

Gianluigi Buffon

i difensori (il difensore)

David Alaba

Giorgio Chiellini

Arjen Robben

Raheem Sterling

I centrocampisti (il centrocampista)

Mesut Özil

Gabi Fernandez

Paul Pogba

Marco Verratti

gli attaccanti (l'attaccante)

Zlatan Ibrahimovic

Cristiano Ronaldo

Chi è il migliore giocatore europeo secondo te? Presentalo.

ESEMPIO Chiellini è il migliore giocatore europeo. È un difensore italiano e gioca in Italia.

1 il pomodoro

il basilico

la mozzarella

2

Il Tricolore

Secondo un'antica leggenda, il verde ricorda i prati[1], il bianco la neve[2] e il rosso è un omaggio ai soldati che sono morti.

1. *les prés* 2. *la neige*

1. Perché diciamo «il Tricolore» per evocare la bandiera italiana?

2. A che cosa corrispondono i colori?

3. Quale spiegazione propone la foto 1?

3 Lo sguardo dell' artista

Histoire des arts

Famiglia e Corte di Ludovico III Gonzaga, 1474. Affresco *(fresque)* di Andrea Mantegna, Camera degli Sposi, Palazzo ducale, Mantova

Ritratto di famiglia

1. Osserva il quadro e rispondi:
a. Chi è Barbara per Ludovico III?
b. Chi è Paola per Ludovico?
c. Chi è Ludovico per Barbara?

2. Chi sono, secondo te, gli altri personaggi?

LO SAI?

Nel 1459 Ludovico Gonzaga marchese[1] di Mantova (Lombardia) invita Mantegna al suo palazzo in qualità di artista di corte. Mantegna immortalizza la corte sulle pareti[2] della Camera del Palazzo Ducale chiamata Camera degli Sposi[3].

1. marquis - 2. murs - 3. époux

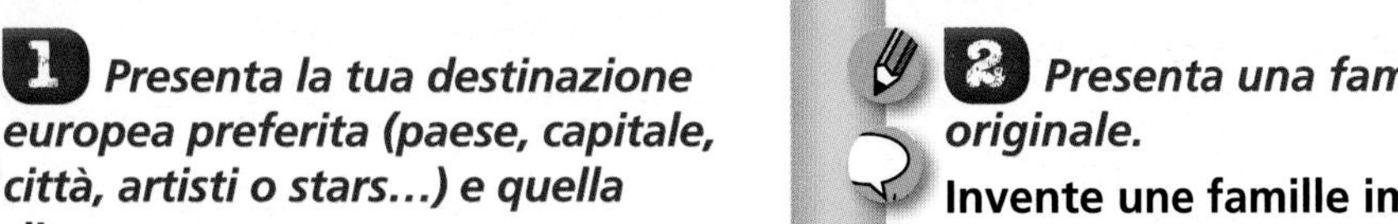

Tocca a te!

Con il tuo professore, scegli uno di questi progetti.

1 *Presenta la tua destinazione europea preferita (paese, capitale, città, artisti o stars...) e quella di un compagno.*

Parlez de vos destinations européennes préférées.

1. Choisis ta destination européenne préférée.
2. Trouve des photos pour illustrer ton choix.
3. Présente la destination à ton camarade (ville, pays, monument principal, célébrité...).
4. Chacun présente ensuite la destination de l'autre au reste de la classe.

2 *Presenta una famiglia originale.*

Invente une famille imaginaire que tu présentes à ta classe.

1. Choisis les membres (acteurs, personnages de BD, chanteurs, sportifs...) de la famille.
2. Tu peux créer un arbre généalogique et l'utiliser comme support pour ta présentation.
3. Présente ta famille imaginaire en indiquant les liens de parenté.

3 *Crea una carta europea.* EPI

Crée une carte européenne géante avec l'aide du professeur de géographie.

1. En équipe, dessinez une carte de l'Europe (format A1) en la personnalisant (contours flous, formes géométriques, symboles, ...).
2. Ajoutez le nom des pays en italien.
3. Décorez chaque pays en utilisant les couleurs du drapeau national.

Una nuova scuola

Tu vas apprendre à :

- parler de ton école;
- présenter ta classe, tes camarades;
- décrire ton emploi du temps;
- parler des matières que tu préfères.

PROGETTO FINALE

Tu vas choisir entre :

1. **improviser une saynète sur l'accueil d'un nouvel élève;**
2. **présenter ton école idéale;**
3. **comparer différents systèmes scolaires.**

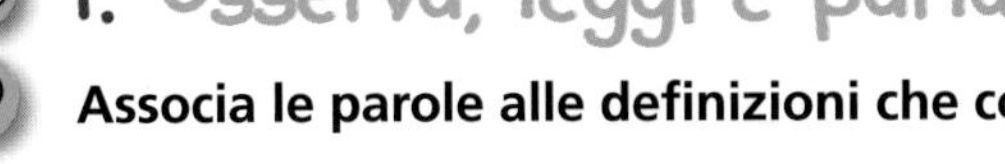

Prima lezione d'italiano

OBJECTIF

→ Parler de ton école

1. Osserva, leggi e parla

Associa le parole alle definizioni che corrispondono.

1. Mi serve per scrivere.
2. Mi serve per disegnare.
3. Mi serve per mettere in evidenza una frase importante.
4. Mi serve per portare i libri.
5. Mi serve per correggere un errore.
6. Mi serve per leggere i testi.
7. Mi serve per ricopiare la lezione.
8. Mi serve per mettere le matite, le penne...

2. Ascolta e parla

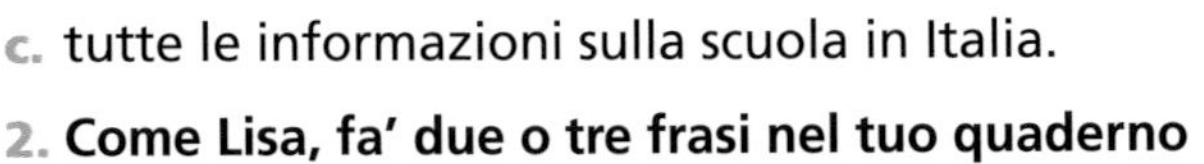

1. **Ascolta il dialogo e ritrova:**
   a. tutte le informazioni che puoi su Lisa;
   b. le due domande che gli alunni francesi fanno a Lisa;
   c. tutte le informazioni sulla scuola in Italia.
2. **Come Lisa, fa' due o tre frasi nel tuo quaderno per presentare la scuola in Francia.**

PRONUNCIA

CD classe 2 Pistes 4-5 — MP3 Pistes 54-55

Les sons [s] / [ts]

Pisa / Pizza	francese
Nizza / Lisa	scienze
inglese	musica

Écoute l'enregistrement et observe les mots que tu entends.

Entraîne-toi à prononcer le* scioglilingua *suivant :

Lisa di Nizza adora la pizza di Pisa.
Lisa di Pisa adora la piazza di Nizza.

→ p. 55

GRAMMATICA

Page 33

Les verbes irréguliers *stare* et *andare*

Loro vanno a scuola il sabato.
Stanno tutto il pomeriggio a casa.

Retrouve dans le document audio d'autres formes de ces deux verbes.

La traduction de « il y a »

C'è una nuova alunna!
Non c'è lezione il pomeriggio.
Ci sono quasi le stesse materie.

Dans chaque exemple ci-dessus, retrouve les mots qui traduisent « il y a » en italien.
Que remarques-tu ?
Avec ton équipe, essaie d'écrire une règle de grammaire simple à retenir.

→ p. 54

Un orario ideale?

OBJECTIF
→ Décrire ton emploi du temps

1. Leggi e parla

Page 34

La filastrocca della settimana

Lunedì torno a scuola[1]
Martedì faccio motoria[2]
Mercoledì ho disegno[3]
Giovedì scappo in bagno[4]
Venerdì c'è religione
Ma il sabato che confusione!
Ecco qua, che settimana
Tutta matta e un po' strana!

adatto da http://www.tanogabo.it/giorni_settimana.htm

Leggi la filastrocca della settimana.

1. Ritrova e recita i giorni della settimana.
2. Completa la filastrocca con l'ultimo giorno della settimana. *La domenica...*
3. Utilizza «c'è» / «ci sono» per inventare la giornata del giovedì.
4. Impara a memoria la filastrocca completa e recitala.

PER AIUTARTI

CD classe 2 Piste 6 Page 35

A che ora hai lezione?

alle otto

alle otto e mezzo

alle dieci

alle dodici / a mezzogiorno

all'una

→ p. 57

2. Osserva e parla

Page 35

L'orario di Lisa in Italia (seconda media)

	Lunedì	Martedì	Mercoledì	Giovedì	Venerdì	Sabato
8.00-9.00	Inglese	Matematica	Musica	Francese	Grammatica	Geometria
9.00-10-00	Musica	Matematica	Scienze	Inglese	Scienze	Inglese
10.00-10.55	Storia	Francese	Grammatica	Letteratura	Antologia	Ed. fisica
10.55-11.10	INTERVALLO					
11.10-12.05	Storia	Antologia	Laboratorio	Storia	Antologia	Ed. fisica
12.05-13.00	Artistica	Religione	Laboratorio	Geografia	Ed. tecnica	Geometria
13.00-13.50			Solfeggio		13.00-14.15 Musica d'insieme	

1. **Osserva l'orario italiano di Lisa e fa' l'elenco:**
   a. delle materie che avete in comune;
   b. di quelle che non avete in comune.
2. **Quale altra differenza vedi tra l'orario italiano e l'orario francese?**

PROGETTO INTERMEDIO

Sei pronto per il progetto?

Page 35

Con la tua squadra, inventa la filastrocca della giornata o della settimana ideale.

1. ***Inventez une comptine sur votre journée ou votre semaine d'école idéale et récitez-la à la classe.***
2. ***À la fin de tous les passages, chaque équipe devra voter pour la filastrocca la plus réussie.*** *Elle devra être apprise par cœur par tous les élèves.*

UNITÀ 4 LEZIONE SECONDA

C'è posta per te!

OBJECTIF
→ Parler de ta classe

Ascolta, leggi e parla

CD classe 2 Piste 9 · MP3 Piste 57 · Page 36

A: LisaP@yahoo.it
Cc: caro123@libero.it
Oggetto: Eccomi!
Allegato: nuovascuola.jpeg, emilie.jpeg

Invia

Ciao Carolina!!!

Come stai? Come va la scuola?

Allora, che ti racconto? Da dove comincio… In Francia la scuola media si chiama "collège". La mia scuola è grande e moderna, luminosa con un cortile immenso… Sai, qui gli alunni non restano tutta la giornata nella stessa aula, ma cambiano ad ogni ora di lezione: un'aula per il francese, un'altra per l'inglese, eccetera, eccetera. In classe, siamo in 26. Le ragazze sono simpatiche ma un po' riservate per il momento. I ragazzi, ehm, un po' bambini, cercano di fare gli interessanti… Ma c'è un ragazzo troppo bello!!! Si chiama Nathan. I prof…
I prof sono come tutti i prof… Forse un po' più severi qui.
La grande novità che proprio non sopporto è restare a scuola anche il pomeriggio… Finisco alle cinque o alle sei tutti i giorni. Uffa! Preferisco gli orari italiani.

Mi manchi tanto, Caro. Scrivimi presto. Un megabacione. TVTB

Lisa

1. Ascolta il dialogo e indica:
a. quante persone parlano e qual è il loro nome;
b. di chi parlano;
c. perché accendono il computer.

2. Leggi la mail di Lisa e ritrova:
a. quanti alunni ci sono in classe;
b. tre parole per definire la scuola;
c. le qualità e i difetti dei ragazzi e delle ragazze della classe.

PER AIUTARTI CD classe 2 Piste 8 · Page 36

La scuola

il cortile
la palestra
la mensa
l'aula
il banco

→ p. 56

GRAMMATICA

Page 36

Les verbes en *-ire (-isc-)*

Finisco alle cinque.
Preferisco gli orari italiani.

Observe les verbes* preferire *et* finire *qui sont conjugués. Quelles différences remarques-tu par rapport à la conjugaison du verbe* partire *?

→ p. 55

Tutte le classi hanno...

OBJECTIF
→ Parler de tes camarades de classe

Osserva, leggi e parla

Page 37

Tutte le classi hanno =)

adatto da http://www.comix.it/tutte-la-classi-hanno/

Osserva il documento.

1. Trova chi appartiene alle seguenti categorie:

gli artisti | gli intellettuali | i romantici | gli «originali»

2. Fa' il profilo della tua classe.
   Esempio: *Ci sono tre inseparabili, c'è un iperattivo...*
3. Quale categoria preferisci? Perché?
   Esempio: *Preferisco gli artisti perché adoro l'arte...*

GRAMMATICA

Page 38

Les articles définis

il banco → i banchi
l'orario → gli orari
lo sportivo → gli sportivi
lo zaino → gli zaini
la ragazza → le ragazze
l'aula → le aule

Observe bien les articles définis et la première lettre du mot qui suit. Essaie de déduire les règles d'emploi des articles définis.

→ p. 54

PER AIUTARTI

CD classe 2 Piste 10 Page 37

preferisco (preferire) | vado (andare) pazzo / pazza per
adoro (adorare) | detesto (detestare)

PROGETTO INTERMEDIO

Sei pronto per il progetto? Page 39

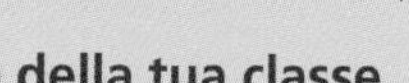

Scrivi un articolo per parlare della tua classe.

1. ***Seul(e) ou en équipe, écris un petit article sur ta classe, tes camarades, tes amis, ta personnalité en tant qu'élève.***
2. ***Les articles pourront être mis en ligne sur un blog ou affichés dans la classe.***

GRAMMATICA

➔ Précis grammatical p. 104

La traduction de « il y a »

C'è / Ci sono

On utilise l'expression *c'è* suivie d'un singulier ou *ci sono* suivie d'un pluriel.

Le complément en français devient le sujet réel du verbe en italien, d'où l'accord.

EXEMPLES **C'è** una sola ora di religione.
Ci sono due ore di francese.

1 Complète les phrases suivantes avec *c'è* ou *ci sono*.

1. ... un'alunna italiana nella classe.
2. ... nuovi professori quest'anno.
3. ... molti posti in mensa.
4. Non ... tanti ragazzi interessanti.
5. Ogni settimana ... un'ora di solfeggio
6. Nell'orario di Lisa ... tre ore di inglese.

2 Traduis les phrases suivantes :

1. Il y a une jeune fille sympathique.
2. Dans mon sac, il y a vingt kilos (*chili*) de livres et de cahiers.
3. Il y a aussi des cours l'après-midi.
4. Il y a un nouveau professeur.
5. L'école a une grande cour.
6. Les salles de classe sont immenses et lumineuses.

L'heure

Che ora è?

À la question *Che ora è?* ou *Che ore sono?*, on répond :

EXEMPLES
8:00 - Sono le otto.
11:00 - Sono le undici.
12:00 - È mezzogiorno.
13:00 - È l'una.
0:00 - È mezzanotte.
3:15 - Sono le tre e un quarto.
7:30 - Sono le sette e mezzo.
8:45 - Sono le nove meno un quarto.

3 Raconte une journée ordinaire en insistant sur l'horaire que tu dois respecter.

Les articles définis

Gli articoli determinativi

	masculin			féminin	
mots commençant par :	consonne	voyelle	*z-* ou *s-* + consonne	voyelle	consonne
singulier	il il **r**agazzo	l' l'**a**lunno	lo lo **z**aino lo **sp**ort	l' l'**a**lunna	la la **r**agazza
pluriel	i i **r**agazzi	gli gli **a**lunni	gli gli **z**aini gli **sp**ort	le le **a**lunne	le le **r**agazze

4 Retrouve le bon article défini singulier.

1. ... scuola italiana mi piace.
2. ... compito non è difficile.
3. ... esercizio di matematica mi sembra facile.
4. ... zaino è troppo pesante.
5. ... alunna è studiosa.
6. ... aula non mi piace.

5 Mets l'article défini pluriel devant les noms suivants :

1. ... scuole
2. ... compiti
3. ... esercizi
4. ... zaini
5. ... alunne
6. ... aule

Passe ensuite le groupe nominal au singulier.

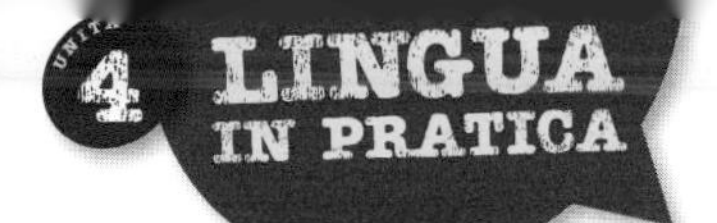

GRAMMATICA

Le présent des verbes irréguliers en *-are* (1)

I verbi irregolari in -are (1)

andare	stare
vado	sto
vai	stai
va	sta
andiamo	stiamo
andate	state
vanno	stanno

6 Complète les phrases en utilisant les verbes *andare* et *stare*.

1. Con gli amici ...
2. Alle otto ...
3. Dopo la scuola ...
4. Il lunedì ...
5. La mattina ...
6. Il sabato ...

Le présent de l'indicatif des verbes en *-ire* (*-isco*)

Il presente dei verbi in -ire (-isc-)

Les verbes en *-ire* ont pour particularité de présenter deux modèles de conjugaison :

– l'une régulière sur le modèle de *dormire* (voir p. 40) ;

dormire
dormo
dormi
dorme
dormiamo
dormite
dormono

– l'autre qui ajoute le suffixe *-isc-* à quatre personnes.

finire
finisco
finisci
finisce
finiamo
finite
finiscono

Le radical se modifie mais les terminaisons sont conformes à la conjugaison régulière.

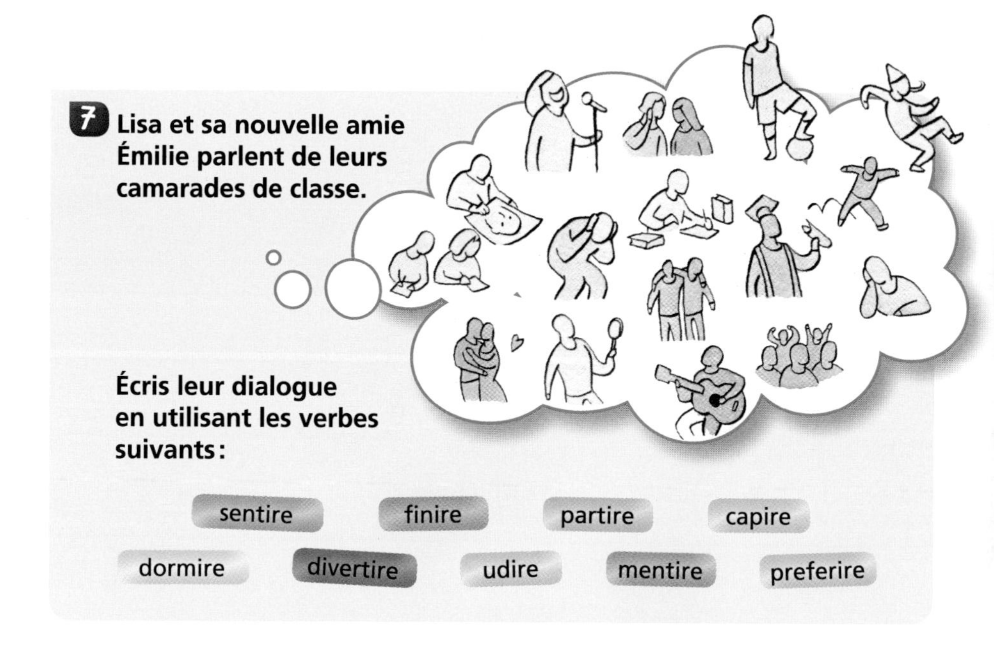

7 Lisa et sa nouvelle amie Émilie parlent de leurs camarades de classe.

Écris leur dialogue en utilisant les verbes suivants :

sentire – finire – partire – capire – dormire – divertire – udire – mentire – preferire

PRONUNCIA

Les sons [s] / [ts]

Les sons *-s-* et *-z-* doivent être clairement différenciés :

- entre deux voyelles, *-s-* est doux ;
  EXEMPLES Pisa, Marisa, Lisa
- en tête de mot, *-s-* est dur ;
  EXEMPLES sport, stadio, stupido
- *-z-* est presque toujours prononcé « tz » ;
  EXEMPLES pizza, tazza, piazza, pazzo
- *-z-* est parfois prononcé « dz ».
  EXEMPLES organizzazione, mezzo

La scuola media

1 il professore
2 l'alunno
3 l'alunna
4 l'aula
5 la cattedra
6 il banco
7 la sedia
8 la lavagna
9 il gesso
10 la cartina geografica
11 lo schermo
12 la lavagna interattiva multimediale
13 il computer
14 il quaderno
15 il libro
16 la pagella
17 il voto
18 l'astuccio
19 la penna
20 la matita
21 la riga
22 la squadra
23 il compasso

Il tempo

CD classe 2 Pistes 19-22 · MP3 Pistes 66-69 · Page 40

1. Osserva

1. Osserva le immagini. Ritrova tutte le attività di Luigi e indica a che ora, secondo te, si svolgono.

2. Con la tua squadra

CD classe 2 Piste 23

1. Ascoltate la filastrocca e, dopo due ascolti, ritrovate:

a. i giorni della settimana;

b. tutte le azioni del fannullone.

2. Un membro della squadra spiega che cosa fa il fannullone ogni giorno.
Vince la presentazione più precisa.

3. Ritrova

Ritrova le materie alle quali corrispondono i documenti…

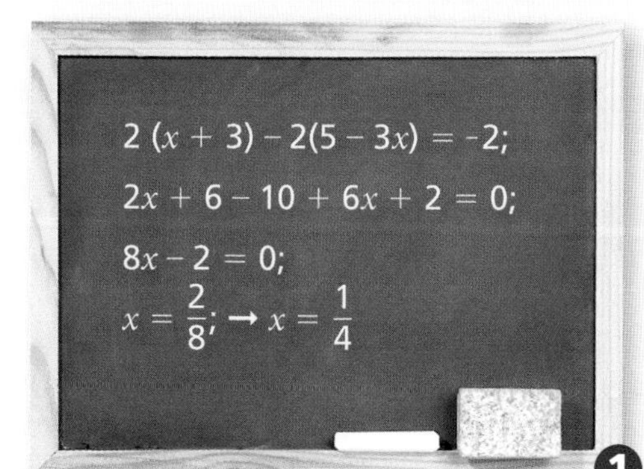

1

2

3

Forse perché della fatal quïete
Tu sei l'imago a me sì cara vieni
O sera! E quando ti corteggian liete
Le nubi estive e i zeffiri sereni,
[...]
Vagar mi fai co' miei pensier su l'orme
che vanno al nulla eterno; e intanto fugge
questo reo tempo, e van con lui le torme

Ugo Foscolo

4

4. Il gioco del mimo

1. **Scrivete su dei bigliettini di carta cinque parole:**
   - due oggetti usati a scuola,
   - un tipo di alunno,
   - un'azione che un alunno può fare a scuola.
2. **Ogni membro della squadra deve mimare a gesti** l'oggetto, il tipo di alunno o l'azione scritta.
3. **Gli alunni delle altre squadre devono indovinarli.**

La squadra che ha più punti vince.

5. Indovinello

Quale materia sono?

Sono organo e materia scolastica.
Chi sono?

Scopriamo insieme

Da Pisa...

CD classe 2 Piste 24 — MP3 Piste 70

A Pisa c'è una torre
pendente.
Sul prato c'è sempre
un sacco di gente
ad aspettare
che venga giù.
Allora, caschi?
Ma casca un po' tu!

Gianni Rodari, *Le filastrocche del cavallo parlante*, Emme Milano, 1970

«A Pisa, c'è una torre pendente»: in realtà, è il campanile del Duomo (la cattedrale Santa Maria Assunta) vicino. Ci sono anche un bel battistero e un cimitero (il Camposanto). La piazza è chiamata «Piazza dei Miracoli».

1. Descrivi tutto quello che vedi sulla foto.

2. Ricerca altri monumenti italiani famosi nel mondo intero. Indica dove si trovano.

LO SAI? **Histoire des arts**

La Torre di Pisa è pendente a causa di un lento cedimento[1] del terreno fin dalle prime fasi[2] della costruzione. Tipico monumento dell'architettura romanica, la torre è alta 56 metri. La parte inferiore ha gli stessi motivi decorativi del Duomo.

1. *un lent effondrement*
2. *dès les premières phases*

Scopriamo insieme

Histoire

Piazza Garibaldi a Nizza, con la statua dell'eroe dell'Unità d'Italia, ricorda che prima del 1861, Nizza (come la Savoia) non è francese ma «italiana» (Regno di Piemonte).

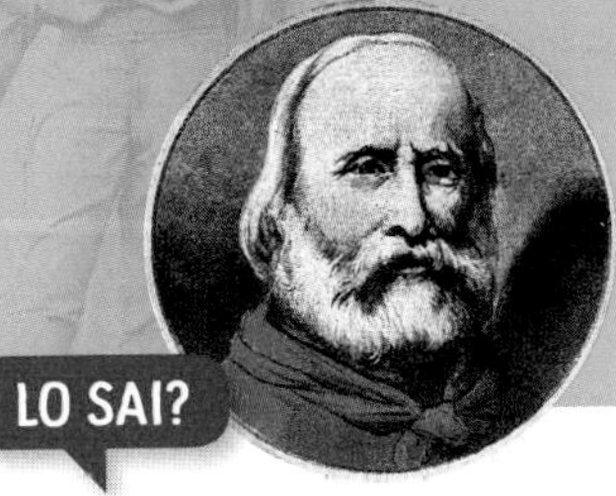

LO SAI?

Giuseppe Garibaldi (Nizza, 1807 - Caprera, 1882) è un grande generale italiano. È famoso per le sue imprese militari in Europa e in America del Sud, ma per gli italiani, è soprattutto il personaggio storico più importante dell'Unità italiana, chiamata il Risorgimento (l'Italia diventa uno Stato nel 1861, con Roma capitale nel 1870).

1. Presenta il personaggio rappresentato nella foto e di' perché è un eroe per gli italiani.

2. Sul modello di Piazza Garibaldi a Nizza, cita una via, una piazza o un monumento vicino a casa tua che ricorda l'Italia.

4 PROGETTO FINALE

Tocca a te!

Con il tuo professore, scegli uno di questi progetti.

1 *Scenetta improvvisata: un nuovo alunno italiano arriva in classe.*

Improvisez une saynète : imaginez l'arrivée d'un(e) nouvel(le) élève italien(ne) dans votre classe.

1. Avec ton équipe, prépare les fiches d'identité des personnages de la scène (nouvel(le) élève, professeur, élèves de la classe et les différents profils).
2. Échangez vos fiches avec une autre équipe.
3. Entraînez-vous à jouer la scène à l'aide des fiches, sans rien écrire, avant d'être évalués devant toute la classe. La scène peut se dérouler de la façon suivante :
   - accueil d'un nouvel élève par le professeur ;
   - présentation du nouvel élève ;
   - questions et réactions des élèves de la classe ;
   - échanges entre les élèves sur les thèmes de l'école en France et en Italie.

2 *Immagina e presenta la scuola ideale per te.*

Imagine ton école idéale.

1. Réalise un diaporama ou une affiche pour présenter ton école idéale :
   - description de l'école ;
   - présentation de la classe (effectif, type d'élèves, professeurs) ;
   - présentation des matières étudiées et des horaires de cours ;
   - autres idées, remarques, conclusion.
2. Présente ton document à la classe qui votera pour la meilleure création.

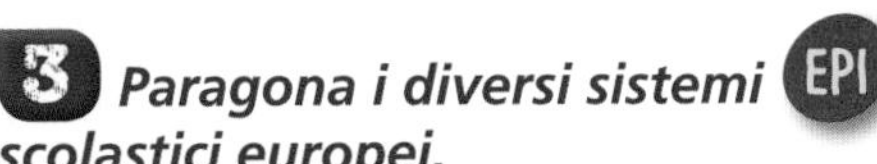

3 *Paragona i diversi sistemi scolastici europei.* EPI

Avec l'aide du professeur d'histoire-géographie, réalise une étude, sous forme de tableau, des différents systèmes scolaires européens.

1. Fais des recherches et présente les différents systèmes éducatifs européens (latin, germanique, anglo-saxon, scandinave…).
2. Donne les caractéristiques de chaque système.
3. Donne ensuite des informations précises sur le temps scolaire (nombre de jours travaillés par an, organisation des journées de classe...).
4. Indique quel système te paraît le plus adapté.

Che cosa fai oggi?

Tu vas apprendre à:

- parler de tes activités en dehors de l'école (en semaine, pendant le week-end);
- parler de tes passions et dire de façon simple pourquoi tu les aimes.

PROGETTO FINALE

Tu vas choisir entre:

1. créer un power point sur tes activités préférées;
2. organiser le programme d'un week-end entre amis;
3. approfondir un sujet lié aux sciences de la vie et de la Terre.

UNITÀ 5 LEZIONE PRIMA

Facciamo un giro...

OBJECTIF

→ Identifier différentes activités

1. Ascolta e parla

Ascolta il dialogo e ritrova:

1. dove si trova Fabio e che cosa fa;
2. che cosa fa Massimo;
3. il giorno e l'ora;
4. dove si ritrovano Fabio e Massimo e a che ora.

2. Ascolta, osserva e parla

Page 43

1. **Guarda il video e ritrova:**
   a. la domanda che il giornalista fa ai giovani;
   b. la città dove si trovano queste persone;
   c. tutte le attività citate.
2. **Con la tua squadra: concentratevi su uno dei due studenti e completate la tabella sul quaderno d'attività.**
3. **E voi, cosa fate durante il vostro tempo libero?**

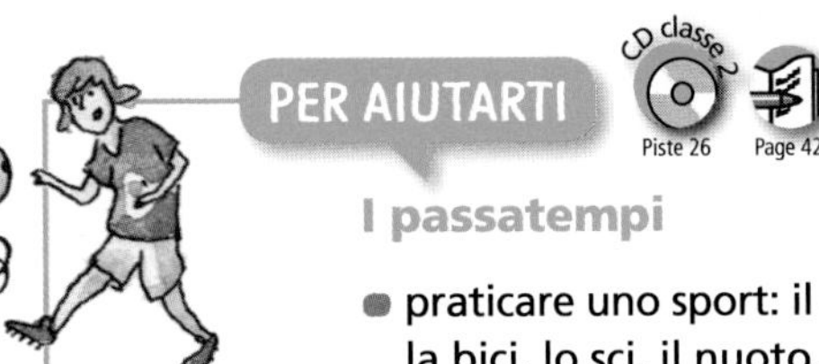

PER AIUTARTI

CD classe 2 Piste 26 Page 42

I passatempi

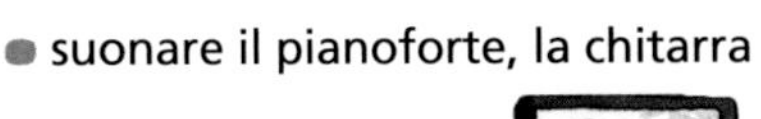
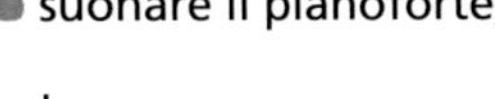

- praticare uno sport: il cavallo (l'equitazione), la bici, lo sci, il nuoto, il calcio…
- suonare il pianoforte, la chitarra
- leggere

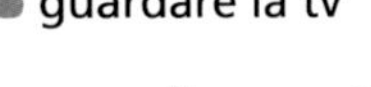

- guardare la tv
- usare il computer: navigare su Internet, chattare

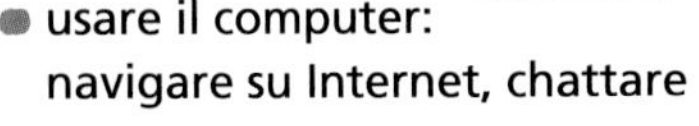

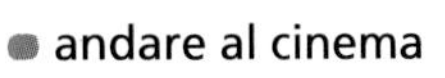

- uscire con gli amici
- andare al cinema
- fare un giro
- fare teatro
- disegnare, dipingere

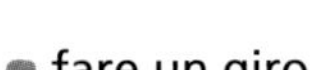
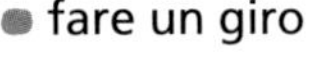
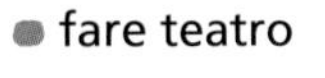

→ p. 70-71

GRAMMATICA

Page 43

Les verbes irréguliers *andare* et *fare*

Faccio i compiti	Ma dove andiamo
Facciamo qualcosa	Ma dai!
Cosa fanno?	

Certains verbes en -are ont une conjugaison particulière. Quelles différences avec les conjugaisons régulières observes-tu ? Quelles personnes semblent régulières ? Pourquoi ?

→ p. 68

Il mio hobby preferito

OBJECTIF
→ Parler de tes activités et de tes passions

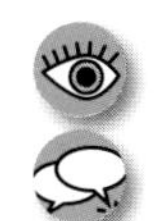

Leggi, parla e scrivi

Page 44

ANNAMA

24 febbraio
ore 14:48

Una vita senza passioni? Impossibile!

Sono una ragazza di dodici anni con numerose passioni. Le principali sono lo sport e lo studio.
Lo sport è molto importante, serve a formare l'uomo, a rispettare gli avversari, i compagni di squadra, le regole[1] e offre la possibilità di conoscere[2] altri ragazzi della mia età.
Pratico il tennis, perché mio padre ha questa passione. Ho appreso molte cose e questo lo devo ai miei allenatori[3] e ai fantastici amici che ho incontrato; lo sport è anche mettersi in gioco, conoscere i propri limiti, imparare a controllarsi.
Il calcio, invece, non lo pratico. Lo seguo soprattutto in televisione, mi piace fare il tifo[4] per una squadra e commentare la partita; infatti, da grande voglio fare la giornalista sportiva o la cronista.
Altre passioni riempiono la mia vita di adolescente, come ascoltare la musica e i nuovi sistemi di comunicazione tecnologica.
"Buone passioni" a tutti!

Anna Maria, seconda A, Torraca, Campania

mi piace ✓✓✓✓✓

1. *les règles*
2. *connaître*
3. *entraîneurs*
4. *supporter*

Adatto da una testimonianza, Torraca News Live, http://www.sassilive.it/extra-live/torraca-news-live

La top ten delle attività preferite

CD classe 2 Piste 29

Piste 74

1 La musica
2 Internet
3 La televisione
4 Le attività sportive
5 Il cinema
6 La lettura
7 I videogiochi
8 Gli eventi sportivi
9 I concerti
10 Gli spettacoli

Con la tua squadra:

1. **Presentate la ragazza che si esprime nell'articolo** (nome, classe, età, passioni…).
2. **Ritrovate:**
   a. quale sport lei pratica e perché;
   b. che cosa permette lo sport.
3. **Spiegate perché il calcio è importante nella sua vita.**

GRAMMATICA

Page 44

Les possessifs

la mia vita
la mia età
i miei allenatori

Que remarques-tu sur l'emploi de l'adjectif possessif?

mio padre

Quelle différence remarques-tu dans cet exemple? Quelle hypothèse peux-tu faire sur cet emploi particulier?

→ p. 69

PER AIUTARTI

CD classe 2 Piste 28 · MP3 Piste 73 · Page 45

Mi piace la lettura.
Mi piacciono i videogiochi.
Non **mi piace** lo sport.
Non **mi piacciono** i concerti.

PROGETTO INTERMEDIO

Sei pronto per il progetto?
Page 45

Il mio hobby preferito.

1. ***Représente sur une « feuille des loisirs »*** *(dessins, collages...)* ***les différentes activités que tu pratiques*** *en les classant par ordre de préférence.*
2. ***En classe, le professeur ramasse les feuilles et les échange entre les équipes.***
3. ***Chaque équipe présente à la classe une feuille et formule une hypothèse sur son auteur.***
4. ***Une fois l'auteur trouvé, celui-ci explique en deux ou trois phrases le choix de son activité préférée.***

Week-end con i tuoi...

OBJECTIF
→ Comprendre un programme d'activités

1. Ascolta e parla

CD classe 2 Pistes 31 — MP3 Pistes 75 — Page 46

1. **Ascolta il dialogo e ritrova chi sono le persone che parlano.**
2. **Ritrova:** a. le attività proposte dai ragazzi;
   b. a quali attività rinunciano e perché;
   c. dove vanno alla fine.

2. Leggi, scrivi e parla

Page 46

Due passioni in una

Mi interessano gli squali. Qualche mese fa mio padre mi ha fatto vedere "Lo squalo", il vecchio film di Spielberg, e sono rimasto[1] impressionato.
La notte non ci ho dormito sopra. Poi però me lo sono rivisto altre due volte con Marcos e il Golden Boy[2]! È il mio film preferito. Ho fatto delle ricerche per saperne di più sugli squali. In tutto il mondo esistono quattrocento specie di squali ma quelle che attaccano direttamente l'uomo senza provocazione sono appena quattro. Comunque, non è che gli squali mangino spesso, perché il loro apparato digerente[3] funziona molto ma molto lentamente. Uno squalo bianco, dopo essersi pappato un pesce di grandi dimensioni[4], può stare più di due mesi senza mangiare! Io invece ho fame ogni due ore…

Marco Innocenti, *La proteina dell'amore*, Giunti Junior, 2007.

1. sono restato - 2. Sono gli amici di Paolo, il narratore - 3. leur appareil digestif - 4. après avoir englouti un gros poisson

1. **Leggi il testo e ritrova:**
   a. le due passioni del narratore;
   b. le informazioni sul film;
   c. le informazioni sugli squali.
2. **Presenta un film che parla della tua passione (titolo, regista e attori / attrici, passione).**
   Esempio: *Mi piace il film* Lo Squalo *di Spielberg con Robert Shaw perché gli squali sono i miei animali preferiti…*

PER AIUTARTI — CD classe 2 Piste 30

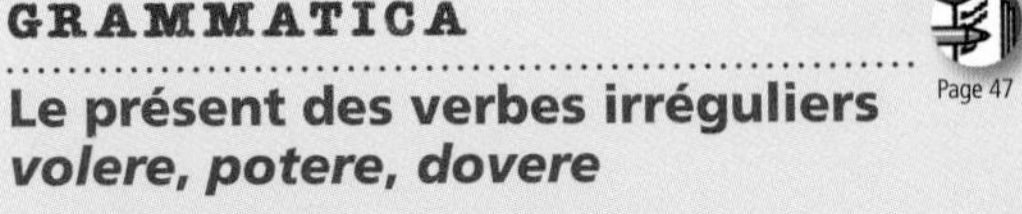

GRAMMATICA — Page 47

Le présent des verbes irréguliers *volere, potere, dovere*

Fabio, tu che vuoi fare?
Che voglio fare?
Possiamo andare all'Odeon.
Devo tornare a casa presto.

Dans le dialogue, retrouve d'autres personnes de la conjugaison de ces verbes.

→ p. 69

Pianeta divertimento

OBJECTIF
→ Présenter un lieu de divertissement

Leggi, parla e scrivi

Page 48

Parco acrobatico su fune[1]
Via Forte Monte Guano
Genova Coronata (GE), Liguria, 16152, Italia
Telefono: +39 339.53.09.625
Sito Web: http://www.superheavypark.it

Date di apertura
Apertura da aprile 2012.

Localizzazione
Raggiungibile[2] dai caselli di Genova Aereoporto e Genova Ovest in pochi minuti e grazie alla linea AMT 62, con capolinea a 20 metri dal parco.

Cosa ci piace
Parco Avventura, caratterizzato da una forte connotazione "adrenalinica", composto da passaggi molto lunghi ed a quote significative[3].

Prezzi
20 € a persona con riduzione per i gruppi sopra le 10 persone.

SUPERHEAVY PARK Parchi Avventura è il parco fra gli alberi attivo a Genova.
Il nostro parco avventura comprende un percorso di un chilometro ricco di prove pensate per darvi progressivamente sempre nuove occasioni di divertimento.
I preparati istruttori di Superheavy Park Parchi Avventura vi svelano i segreti per affrontare le varie prove che il parco vi propone e vi accompagnano per tutta la lunghezza del percorso.
Il percorso è destinato ad adulti e bambini sopra i dodici anni e più alti di 150 cm.

Venite a vivere l'avventura con noi a Genova: vi aspettiamo!

1. *corde, câble* - 2. *accessible* - 3. *des hauteurs importantes*

1. **Con la tua squadra, ritrovate:**
   a. il nome del parco;
   b. le indicazioni sulla localizzazione del parco (città, indirizzo, linea bus);
   c. il prezzo a persona;
   d. le caratteristiche del parco (il tipo di parco, a chi è destinato, la lunghezza del percorso…).
2. **Create uno slogan pubblicitario per dare voglia al pubblico di vivere l'esperienza del parco.**

GRAMMATICA

Page 49

Les articles contractés avec les prépositions *a* et *di*

del percorso
alla linea

En italien, certaines prépositions fusionnent avec l'article défini qui suit.
Observe ces exemples et retrouve l'article défini qui a fusionné: **di + … = del**
a + … = alla.

→ p. 68

PROGETTO INTERMEDIO

Sei pronto per il progetto?

Page 49

Con la vostra squadra, guardate lo spot per il parco acquatico e create la colonna sonora.
1. ***Vous rédigerez le message publicitaire en indiquant: le nom et la ville, les personnes avec qui on peut venir, les divertissements et les animations proposés, la saison, les horaires, le prix par personne.*** *Adressez-vous, de la façon la plus expressive possible, directement au public visé en employant la 2e personne du singulier ou du pluriel. Vous pourrez clore le spot avec un slogan.*
2. ***Choisissez une musique qui donne du rythme au spot.***
3. ***Vous pourrez vous enregistrer et faire écouter votre travail à la classe.***

GRAMMATICA

➔ Précis grammatical p. 104

Le présent des verbes irréguliers en *-are* (2)

I verbi irregolari in -are (2)

Les verbes irréguliers en *-are* sont au nombre de quatre : *andare*, *stare* (*cf.* Unité 4, p. 55), *dare* et *fare*.

dare	fare
do	faccio
dai	fai
dà	fa
diamo	facciamo
date	fate
danno	fanno

1 **Complète le tableau suivant :**

	personne	infinitif	traduction
andate	...	...	...
fanno	...	...	...
dai	...	...	...
facciamo	...	...	...
vai	...	...	...
do	...	...	...

2 **Complète les phrases en utilisant les verbes conjugués suivants : *fa, danno, vado, vanno, faccio***

1. Tutti i giorni, io ... a scuola a piedi.
2. Quando ... bel tempo, adoro andare in piscina.
3. Il giovedì, le mie amiche ... al corso di ceramica.
4. Quando ... il tiro con l'arco, mi diverto e rido molto!
5. Gli allenatori sportivi ... buoni consigli per fare progressi rapidamente.

Les articles contractés avec les prépositions *a* et *di*

Le preposizioni articolate

Lorsque les prépositions *a* et *di* se trouvent devant un article défini, elles s'articulent avec celui-ci pour former un mot nouveau : l'article contracté.

	masculin					féminin		
	singulier			pluriel		singulier		pluriel
	il	l'	lo	i	gli	la	l'	le
a	al	all'	allo	ai	agli	alla	all'	alle
di	del	dell'	dello	dei	degli	della	dell'	delle

3 **Quel est le bon article contracté ?**

1. La locandina (di) il cinema.
2. Le piazze (di) le città italiane.
3. Ci ritroviamo (a) l'ingresso (di) lo stadio.
4. Organizziamo il programma (di) la serata.
5. Danno da mangiare (a) gli squali.
6. Lo slogan (di) il parco.
7. L'elenco (di) le attività preferite.

4 **Retrouve la composition de l'article contracté et justifie-la.**

1. Il colore delle bici.
2. Mi piace scrivere agli amici.
3. La stagione dello sci.
4. Ti aspettiamo all'angolo della strada.
5. Ingresso vietato ai motorini.
6. Il piacere delle gite in montagna.
7. Ai giovani piace molto navigare su Internet.

GRAMMATICA

Les adjectifs possessifs

Gli aggettivi possessivi

L'adjectif possessif est généralement précédé d'un article défini. L'ensemble s'accorde en genre et en nombre avec le nom qui suit.

EXEMPLES **il mio** compagno
i miei compagni
la nostra canzone
le nostre canzoni

Attention ! On n'utilise pas l'article défini avec un nom de parenté au singulier.

EXEMPLES mio padre
mia sorella

masculin		féminin	
singulier	**pluriel**	**singulier**	**pluriel**
il mio	i miei	la mia	le mie
il tuo	i tuoi	la tua	le tue
il suo	i suoi	la sua	le sue
il nostro	i nostri	la nostra	le nostre
il vostro	i vostri	la vostra	le vostre
il loro	i loro	la loro	le loro

5 Complète les phrases avec l'adjectif possessif qui convient.

Le sujet de la phrase va t'aider à le trouver, accorde-le avec le substantif qui suit et n'oublie pas de repérer aussi les noms de parenté au singulier pour bien appliquer la règle.

1. Anna adora studiare ma ... attività preferita è l'equitazione
2. Durante ... tempo libero, i ragazzi si ritrovano in piazza.
3. Anna Maria pratica il tennis grazie a ... padre.
4. A me non piace molto il calcio, invece ... sport preferito è il nuoto.

Le présent des verbes irréguliers *volere, potere, dovere*

Volere, potere, dovere

Trois verbes irréguliers sont fréquemment utilisés : *volere, potere, dovere*.

volere	potere	dovere
voglio	posso	devo
vuoi	puoi	devi
vuole	può	deve
vogliamo	possiamo	dobbiamo
volete	potete	dovete
vogliono	possono	devono

6 Transforme la phrase suivante à deux autres personnes de ton choix (une au singulier et une au pluriel).

Questo compito, lo devo fare e lo posso fare ma non voglio farlo *(le faire)*.

7 Complète le texte avec le verbe qui convient : *potere, dovere, volere*. N'oublie pas de conjuguer le verbe.

Io e Gianni ... andare al parco acrobatico su fune di Genova, ma non ... perché il nostro fratellino non ha ancora 12 anni e quindi non ... fare le attività. I nostri genitori ... portarci *(nous emmener)* ma non ... perché dicono che noi ... andarci *(y aller)* tutti o nessuno!

PRONUNCIA

Les intonations

Avec ton équipe, écoutez attentivement les slogans. Répartissez-vous le travail et mémorisez chacun un slogan. Il faudra ensuite le répéter de la façon la plus rigoureuse et la plus expressive possible.

Attività e passioni

CD classe 2 Piste 40 · MP3 Piste 84 · Page 50

I luoghi delle attività

CD classe 2 Piste 41 · MP3 Piste 85 · Page 50

1. Sudoku

Mathématiques

▸ **Completa la tabella con i numeri giusti…**

		1		3	2			4
4				6		2	7	8
	6		4		9			1
6	1		9		5	8		
		4	7		3	1		
		8	1		6		4	9
7			2		8		1	
2	9	5		1				7
1			3	5		4		

Istruzioni

- Tutti i numeri da 1 a 9 devono comparire *(apparaître)* in ogni quadrato piccolo (una volta sola!).
- Tutti i numeri da 1 a 9 devono comparire in ogni riga *(ligne)* e in ogni colonna (una volta sola!).
- Vince chi per primo completa la tabella e dice tutti i numeri correttamente!

2. Al parco

▸ **Osserva attentamente il disegno per due minuti. Poi ascolta le affermazioni del tuo compagno di banco senza guardare il disegno, e rispondi vero o falso.**

Quando l'affermazione è falsa, cerca di ***(essaye de)*** formulare un enunciato vero.

AFFERMAZIONI

1. Due ragazzi e una ragazza giocano a calcio.
2. Una bambina salta con la corda.
3. Due donne leggono un libro.
4. Una vecchia signora mangia un gelato e una ragazza gioca con un videogioco.
5. Un uomo legge il giornale seduto su una panchina.
6. Due donne parlano al telefonino.

3. Indovinelli

Un passatempo divertente: gli indovinelli!

1. Indovinello

È una parola di quattro sillabe e ha ventuno lettere, che cos'è?

SOLUZIONE L'alfabeto.

2. L'enigma della Sfinge

Qual è l'animale che da piccolo ha quattro zampe *(pattes)*, da ragazzo, due e da grande, tre?

SOLUZIONE L'uomo.
Da piccolo cammina con le mani e le ginocchia *(genoux)*.
Da adulto cammina a due piedi.
Da anziano si aiuta con il bastone (tre zampe).

3. L'enigma del bugiardo

Il bugiardo mente quando dice di mentire?

SOLUZIONE Non c'è soluzione: se il bugiardo risponde si è effettivamente un bugiardo, se risponde no allora è vero che sta mentendo e quindi è un bugiardo.

4. Indovinello

Se hai tre mele *(pommes)* e quattro arance *(oranges)* in una mano, e quattro arance e tre mele nell'altra mano, che cosa hai?

SOLUZIONE
Delle mani enormi!

4. Gioco di rapidità.

Giocate in due e osservate le foto. Prendete un foglio e scrivete a quale attività corrisponde ogni foto. Indicate se l'attività si può fare all'interno o all'esterno. Il primo che ha finito ha vinto.

1

2

3

6

4

5

7

8

Scopriamo insieme — Giochi storici

Histoire

Il palio di Siena

Il Palio è un'antica corsa di cavalli che si svolge[1] ancora oggi a Siena in Piazza del Campo due volte all'anno: il 29 giugno e il 2 luglio. La città è divisa in diciassette quartieri o "contrade". Dieci contrade si affrontano: tre sono tirate a sorte[2], e le altre sette sono quelle che non hanno partecipato la volta precedente.

1. *qui se déroule* - 2. *tirées au sort*

Il calcio storico (Firenze)

Il calcio storico fiorentino[1] è uno sport dalle antiche origini. Consiste in un gioco a squadre che si effettua con un pallone.

1. *florentin*

- **A quali sport moderni ti fanno pensare questi giochi storici?**

Lo sguardo dell' artista

Histoire des arts

Affresco, Palazzo Borromeo, Milano, 1445-1450

Affresco, Castel Roncolo, Bolzano, 1388-1395

Affresco, Castel Roncolo, Bolzano, 1388-1395

Divertimenti di altri tempi?

Associa ad ogni immagine una didascalia:

- Giochi con la palla
- Battaglia di palle di neve
- Caccia
- Giochi di carte
- Musica
- Pesca
- Danza

Affresco, Castel Roncolo, Bolzano, 1388-1395

Affresco, Castel Roncolo, Bolzano, 1388-1395

Affresco, Castel Roncolo, Bolzano, 1388-1395

Affresco, Castello del Buonconsiglio, Trento, 1391-1407

LO SAI?

Gli affreschi medievali sulle pareti dei palazzi illustrano come si divertivano le persone in quell'epoca.

Tocca a te!

Con il tuo professore, scegli uno di questi progetti.

1 *Crea un power point sulle tue attività preferite.*

Crée un power point sur tes activités préférées.

1. Fais défiler les images qui représentent tes activités préférées.
2. Pour chaque image, cite le nom de l'activité et la raison pour laquelle tu la pratiques.

2 *Telefona a un(') amico(a) per organizzare il vostro prossimo weekend.*

Deux amis italiens s'appellent pour passer le week-end ensemble. Au téléphone, ils se mettent d'accord sur un programme.

1. Demande des nouvelles à ton ami(e).
2. Propose-lui de passer le week-end avec toi.
3. Fais-lui des propositions d'activités.
4. Réponds à ses propositions en justifiant pourquoi tu acceptes ou tu refuses.
5. Avant de raccrocher, mettez-vous d'accord sur le programme et donnez-vous rendez-vous (lieu et heure).

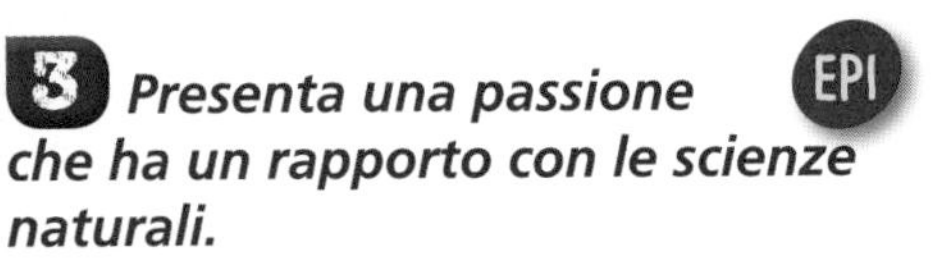

3 *Presenta una passione che ha un rapporto con le scienze naturali.* EPI

Prépare un court exposé sur un thème de ton choix lié aux sciences de la vie et de la Terre.

1. Approfondis un sujet lié aux sciences de la vie et de la Terre qui te passionne (les animaux, les planètes, les volcans, les plantes...).
2. Recherche le vocabulaire qui t'est utile et présente à tes camarades ta passion à l'aide de photos, d'illustrations. Pense à t'aider de ton cours de SVT.

I supereroi sbarcano!

Tu vas apprendre à:

- décrire une personne réelle ou un personnage imaginaire;
- rédiger le texte des bulles d'une bande dessinée ou d'une carte pop-up.

PROGETTO FINALE

Tu vas choisir entre:

1. **créer une planche de BD de super-héros;**
2. **imaginer des dialogues d'une scène de film (la rencontre de deux super-héros) et interpréter la scène devant la classe;**
3. **créer une carte pop-up mettant en scène un super-héros et rédiger le texte qui décrit la scène.** EPI

UNITÀ 6 LEZIONE PRIMA

I custodi della città

OBJECTIF
→ Décrire physiquement une personne

1. Ascolta e parla

CD classe 2 Piste 43 · MP3 Piste 86 · Page 52

Ascolta il dialogo.

1. Ascolta, presenta la scena e rileva ciò che fanno Lea e Stefano.
2. Rileva i nomi dei personaggi famosi citati nel dialogo.
3. Com'è l'avatar di Stefano all'inizio? Com'è alla fine?
4. Ritrova cosa vuole fare Lea in camera sua alla fine.

2. Osserva e parla

Page 52

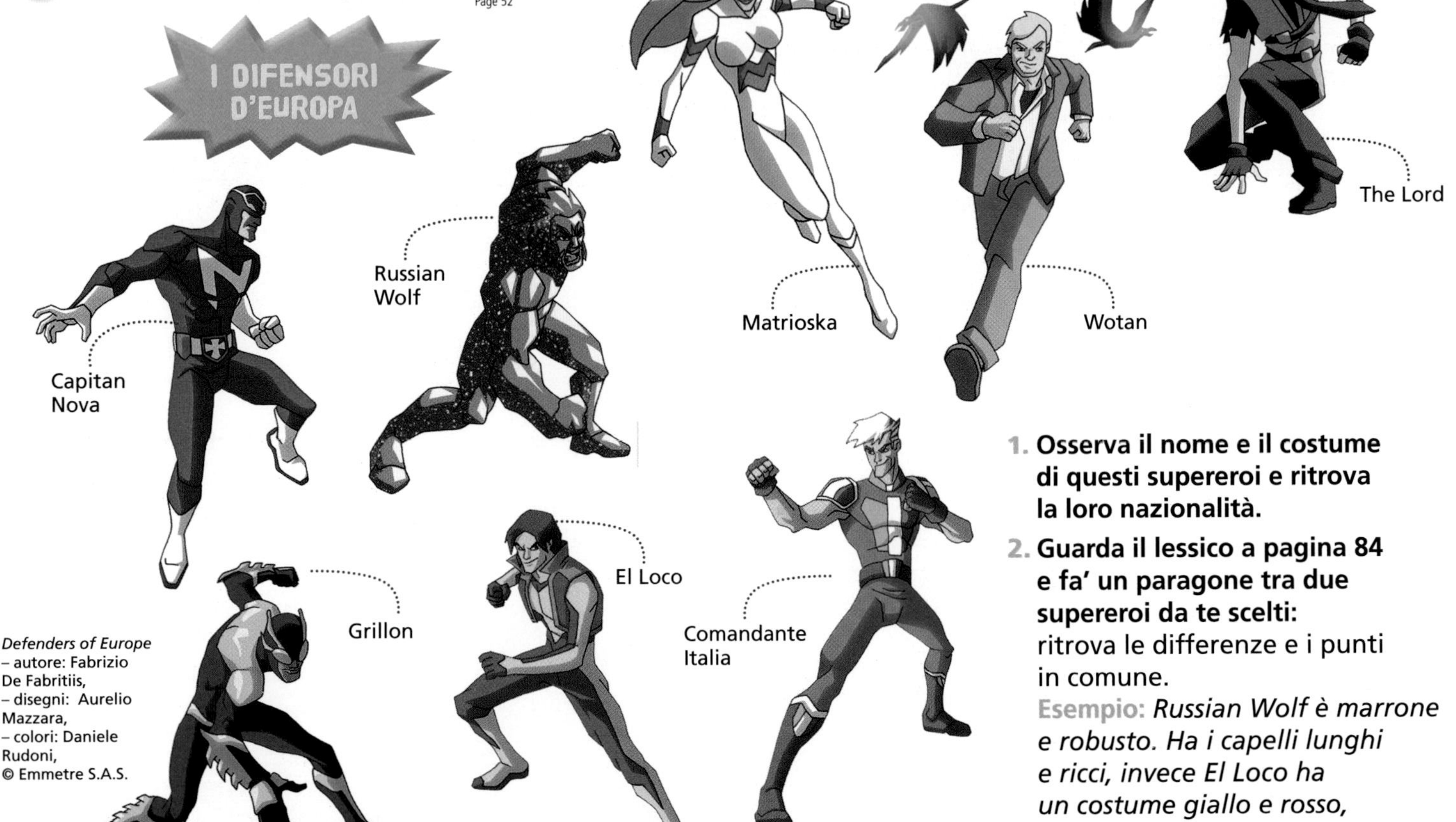

Defenders of Europe
– autore: Fabrizio De Fabritiis,
– disegni: Aurelio Mazzara,
– colori: Daniele Rudoni,

1. **Osserva il nome e il costume di questi supereroi e ritrova la loro nazionalità.**
2. **Guarda il lessico a pagina 84 e fa' un paragone tra due supereroi da te scelti:** ritrova le differenze e i punti in comune.
   Esempio: *Russian Wolf è marrone e robusto. Ha i capelli lunghi e ricci, invece El Loco ha un costume giallo e rosso, è snello e ha i capelli lisci.*

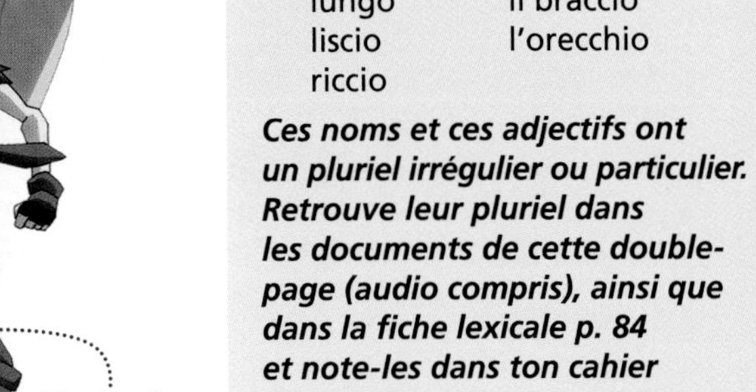

GRAMMATICA (Page 53)

Quelques pluriels irréguliers ou particuliers (2)

lungo	il braccio
liscio	l'orecchio
riccio	

Ces noms et ces adjectifs ont un pluriel irrégulier ou particulier. Retrouve leur pluriel dans les documents de cette double-page (audio compris), ainsi que dans la fiche lexicale p. 84 et note-les dans ton cahier d'activités.

→ p. 82

PRONUNCIA (CD classe 2 Pistes 44-47 · MP3 Pistes 88-91 · Page 53)

Les sons [ʃ] et [tʃ]

capelli lisci
capelli ricci

le son [ʃ] : scena, lasciare
le son [tʃ] : braccio, esercizio, difficile, invincibile

Comment prononces-tu ces mots ?

Scioglilingua : Micia ha il pelo liscio mentre Micio ha il pelo riccio.

Il mio supereroe...

OBJECTIF
➔ Créer ton propre super-héros

Leggi e disegna

Page 54

Disegna il tuo supereoe.

Come disegnare un supereroe

DEVI AVERE
a portata di mano:

- una matita
- una squadra
- una gomma
- un foglio di carta
- penne colorate

Passo uno

Innanzitutto[1] scegli il tuo eroe preferito, (Hulk, l'Uomo Ragno o Capitan America, Catwoman, Superman o Batman...). Disegnare il corpo di un supereroe è come realizzare un corpo normale, solo che le proporzioni sono esagerate. Per cominciare, devi realizzare una griglia con tre quadrati orizzontali e tre verticali.

Passo due

Parti da un fumetto originale e imita le proporzioni utilizzate dal disegnatore professionista.

Passo tre

Per questo esempio abbiamo utilizzato il personaggio «Iron Man». Una volta scelta la postura dell'eroe, disegna alcuni piccoli cerchi all'altezza delle giunture[2], come spalle e ginocchia, un piccolo ovale per il volto e altre circonferenze per delimitare l'area delle mani e dei piedi.

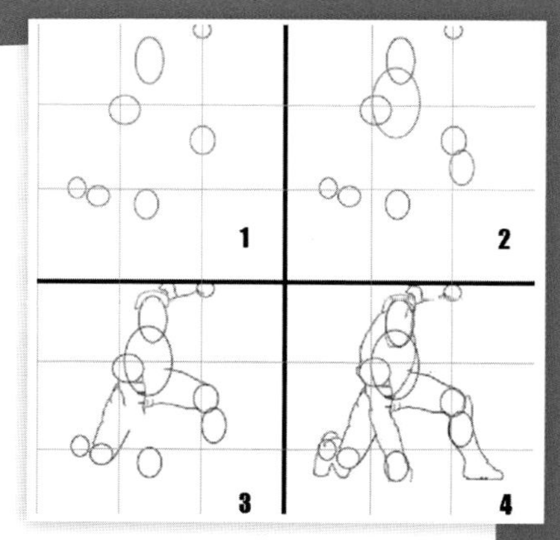

In questi quattro riquadri vediamo il busto (fig. 2), le membra (fig. 3) e le linee che delimitano la figura completa (fig. 4). Ora puoi anche cancellare la griglia di partenza e completare il disegno.

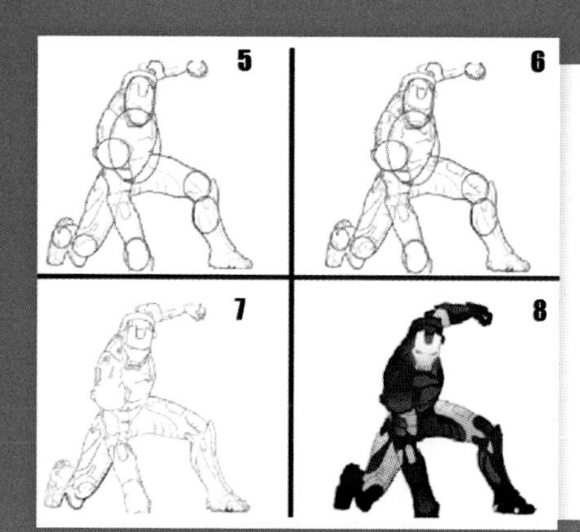

Passo quattro

Come vediamo nelle figure 5 e 6, in questa fase puoi cominciare ad arricchire il tuo supereroe. Nel penultimo passaggio (fig. 7) puoi cominciare ad eliminare tutte le circonferenze di supporto tracciate all'inizio[3]. L'ultimo passo è la colorazione.

1. *tout d'abord, avant tout* - 2. *les articulations* - 3. *au début*

Adattato da http://nonsolocultura.studenti.it/

GRAMMATICA

Page 55

Les articles contractés (2)

utilizzate dal disegnatore
all'altezza
nelle figure

Rappel avec* di*:
delle mani / dei piedi

***Observe ces formes des prépositions* da*,*
a et in et essaye de les traduire.
Quelle remarque peux-tu faire?
*Peux-tu donner toutes les formes contractées possibles avec ces trois prépositions?***

➔ p. 82

PROGETTO INTERMEDIO

Sei pronto per il progetto?

Page 55

Immagina, disegna e presenta fisicamente un nuovo supereroe a partire da un personaggio reale.

1. ***Transforme une personne de ton choix*** *(un(e) ami(e), quelqu'un de ta famille, ton idole)* ***en super-héros.***
2. ***Présente-le à la classe avec ses caractéristiques physiques.*** *Tu accompagneras ta présentation d'un dessin, un collage ou une photo.*

Supererrore!

OBJECTIF
→ Présenter les caractéristiques d'un super-héros

1. Osserva, ascolta e parla

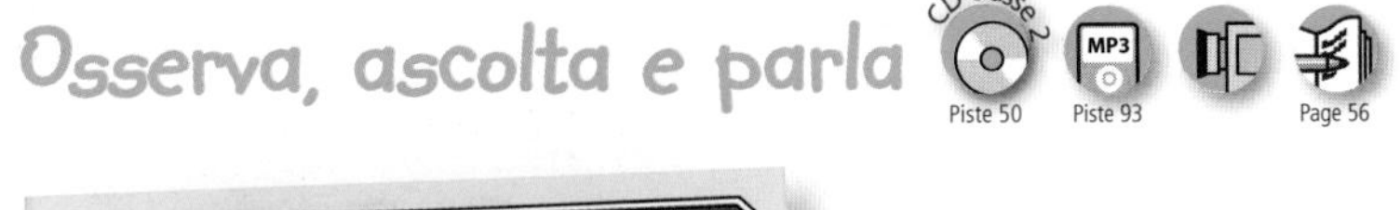

CD classe 2 Piste 50 — MP3 Piste 93 — Page 56

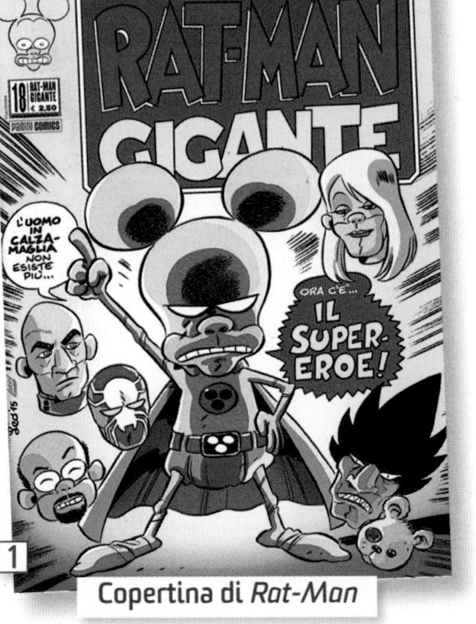

1 Copertina di *Rat-Man*

2 Trailer di *Rat-Man*

PER AIUTARTI

CD classe 2 Piste 49 — Page 57

la maschera

i superpoteri

la cappa

il costume

→ p. 84

3 Copertina di *Paperinik*

1. **Osserva le copertine dei fumetti poi guarda il trailer del cartone animato di un supereroe un po'... particolare:**
https://www.youtube.com/watch?v=Uj0uTeeFHDA
Dopo presenta:

a. il nome del supereroe del cartone animato;

b. la sua missione:
- una vendetta,
- una battaglia (contro i criminali),
- una missione segreta;

c. la sua qualità più grande:
- un'intelligenza superiore,
- dei riflessi straordinari,
- una perfezione fisica;

d. il tono della voce off (fuori campo):
- allegro,
- drammatico,
- triste,
- aggressivo.

2. **Con la tua squadra:**

a. Guardate di nuovo il video e indicate:
- le caratteristiche del supereroe che ritroviamo nel cartone animato;
- il motivo per cui il personaggio non corrisponde all'immagine tradizionale del supereroe.

b. Spiegate che cosa rende questo personaggio comico.

3. **Cita tutti i punti in comune che vedi tra i due personaggi (documenti 1 e 3).**

6 LEZIONE SECONDA

Mitici!

OBJECTIF
→ Comparer les héros mythologiques et les super-héros

1. Osserva e parla

Page 58

La Gorgone e gli eroi (particolare), Giulio Aristide Sartorio, 1892

Medusa, © Marvel

Ercole e il Leone di Nemea, Tiazzi Cesare, 1785

Copertina di *Tarzan*

Osserva i personaggi e la situazione in cui si trovano e indica:

1. i punti in comune tra gli eroi della mitologia e i supereroi moderni;
2. le differenze che ci sono tra la versione antica e la versione moderna della leggenda.

PER AIUTARTI

CD classe 2
Piste 51

l'eroe
la mitologia / mitologico
la forza fisica
i capelli
il serpente
la tigre
il leone
la lotta
tagliare
vincere

GRAMMATICA

Page 59

Les quantitatifs *molto* et *tanto*

molto antiche
tante divinità

***Observe les terminaisons de* molto *et* tanto.**
Dans quel cas le quantitatif est-il invariable?

→ p. 83

2. Leggi e scrivi

Page 59

SUPEREROI DA SEMPRE...

Calzari[1] volanti per Perseo, forza sovrumana[2] per Eracle / Ercole, sguardo[3] che pietrifica[4] per Medusa, poteri telecinetici[5] per Mosè che divide le acque...

Che si tratti di campioni di forza come Hulk o La Cosa dei Fantastici 4, di velocità come Flash o Superman, di «mentalisti» dalle incredibili capacità sensoriali come il Professor X degli X-Men, la figura del supereroe così come la conosciamo oggi ha radici[6] molto antiche e trova nel mito la sua prima fonte di ispirazione. Non solo: spesso in missione per il bene del mondo (come Prometeo [...]) e sempre mascherati (come tante divinità greche alle prese con gli umani) alcuni supereroi a volte sono proprio gli stessi delle vecchie mitologie. Per esempio Thor: divinità vichinga dall'invicibile martello che, nell'omonima versione a fumetti, torna sulla Terra per fronteggiare[7] invasioni aliene e spie[8] sovietiche.

Focus, 11/2006

1. *des chaussures* - 2. *surhumaine* - 3. *regard* - 4. *transforme en pierre* - 5. poteri paranormali - 6. *des racines* - 7. affrontare - 8. *des espions*

Leggi l'articolo e ritrova:

1. i nomi degli eroi di oggi e le categorie a cui appartengono;
2. i nomi delle divinità, degli eroi mitologici e delle figure dell'Antichità;
3. la frase che indica che i supereroi di oggi si ispirano a queste figure mitiche del passato. Illustra con esempi citati nel testo.

PROGETTO INTERMEDIO

Sei pronto per il progetto? Page 60

Inventa la biografia di un supereroe comico.

1. ***Choisis un super-héros et essaie de faire un jeu de mot en modifiant son nom ou change simplement une lettre du nom initial.***
   Exemple: Batman → Rat-Man
   Superman → Superfan
2. ***Trouve-lui une origine mythologique.***
3. ***Change quelques-unes de ses caractéristiques physiques.***
4. ***Décris ses pouvoirs en insistant sur leur côté inutile ou ridicule.***
   Exemple: Può cantare con la bocca chiusa.

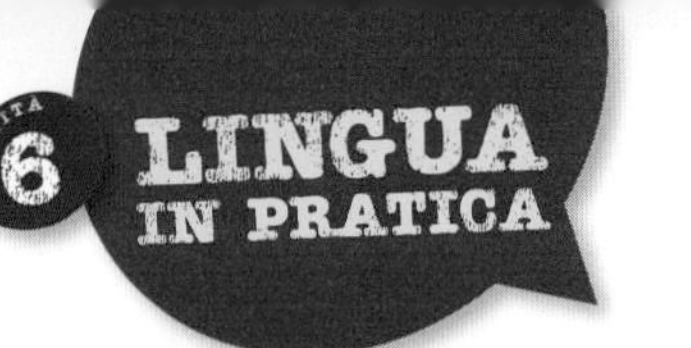

GRAMMATICA

→ Précis grammatical p. 104

Les pluriels irréguliers : quelques cas particuliers

Alcuni plurali irregolari

Certains noms masculins en *-o*, notamment en rapport avec le corps humain, ont deux pluriels :

- l'un en *-a* (féminin) pour le sens propre,
- l'autre en *-i* (masculin) pour le sens figuré.

EXEMPLES il membro → **le** membr**a** *(physique)*, **i** membr**i** *(club, famille)*
il braccio → **le** bracci**a**, **i** bracci *(fleuve, croix)*
il dito → **le** dit**a**, **i** dit**i** *(mesure)*

Pluriels très spéciaux :
l'uomo → gli uom**ini**
l'ala → le al**i**
l'arma → le arm**i**
il dio → gli d**ei**
il tempio → i templ**i**

1 Transforme les expressions suivantes au pluriel.

1. il dio romano
2. l'uomo vecchio
3. l'arma dell'eroe
4. il tempio antico
5. l'ala lunghissima

2 Traduis les expressions suivantes.

1. Il y a dix membres dans mon équipe.
2. Ses bras sont très longs.
3. Le Pô a plusieurs bras sur la fin de son parcours.
4. Il fait un signe de victoire avec ses deux doigts.
5. Le super héros boit deux doigts d'une boisson magique.

Les articles contractés avec les prépositions *da*, *in* et *su*

Le preposizioni articolate (2)

Comme nous l'avons expliqué dans l'unité 5 pour les propositions *a* et *di*, la même transformation a lieu avec les propositions *da*, *in*, *su* selon les mêmes règles.

	masculin					féminin		
	singulier			pluriel		singulier		pluriel
	il	l'	lo	i	gli	la	l'	le
da	dal	dall'	dallo	dai	dagli	dalla	dall'	dalle
in	nel	nell'	nello	nei	negli	nella	nell'	nelle
su	sul	sull'	sullo	sui	sugli	sulla	sull'	sulle

3 Fais une phrase complète en utilisant l'article contracté qui convient.

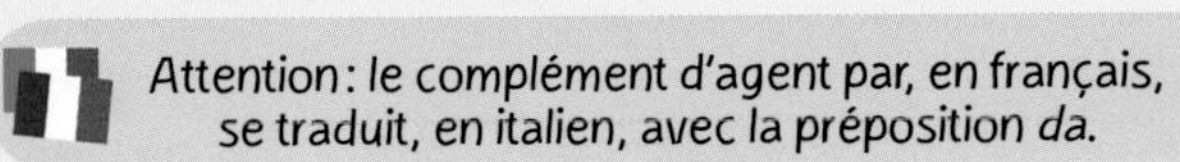
Attention : le complément d'agent par, en français, se traduit, en italien, avec la préposition da.

1. C'è la lettera S ... costume di Superman.
2. ... fumetti, i supereroi sembrano invicibili.
3. C'è una giustizia perché i cattivi sono sempre distrutti ... buoni.
4. Anche ... vita di tutti i giorni, esistono eroi.
5. Capitan Nova è stato creato ... fumettista Fabrizio De Fabritiis.
6. Leggendo i fumetti possiamo seguire i supereroi ... loro pericolose avventure.
7. I supereroi sono sempre pronti ... battaglia.
8. I Fantastici 4 sono nati ... anni sessanta.
9. Ci sono molti eroi con superpoteri ... film americani.

GRAMMATICA

Les quantitatifs *molto, tanto, poco*

Molto, tanto, poco

Quand ils sont suivis d'un nom, *molto, tanto, poco* s'accordent avec ce nom. Cependant, quand ils sont suivis d'un adjectif, ils sont invariables.

EXEMPLES Molt**e** storie di supereroi hanno origini molt**o** antiche.
(Molte: adjectif; molto: adverbe)

Tant**i** dei sono tant**o** potenti.
(Tanti: adjectif; tanto: adverbe)

Attention à la formation du pluriel ! *Poco* devient *pochi*, *poca* devient *poche*, selon la règle de transformation au pluriel des mots en *-co* et *-go*.

4 **Adapte le quantitatif dans les phrases suivantes :**

1. Tant**...** eroi non sono molt**...** simpatici.
2. Ci sono molt**...** dei greci molt**...** potenti.
3. Poc**...** storie moderne non sono ispirate alla mitologia.
4. Tant**...** fumetti sono poc**...** conosciuti.
5. L'uomo ragno e Superman sono tropp**...** forti!
6. I supereroi hanno poch**...** amici ma molt**...** fan.
7. Poch**...** persone non conoscono Batman.

PRONUNCIA

I fumetti: una lingua speciale

Les onomatopées ont des formes différentes selon les langues.

è un grido di dolore.

esprime rabbia.

serve per esprimere il dubbio.

esprime esitazione.

è un'onomatopea usata per dire «e chi lo sa?».

è il suono del respiro affannoso (dopo un lavoro faticoso, una corsa).

indica perplessità.

è sinonimo di «zitto!», «silenzio!».

ci fa capire che il pericolo è evitato.

significa deglutire (anche per la paura).

indica una sirena.

Il corpo

1 l'uomo
2 la donna
3 alto (/a)
4 basso (/a)
5 magro (/a)
6 grasso (/a)

7 bello (/a)
8 brutto (/a)
9 snello (/a)
10 muscoloso (/a)
11 la testa:
i capelli:

12 lunghi /
13 corti
14 ricci / 15 lisci
16 neri, 17 castani,
18 biondi, 19 grigi
20 calvo (/a)

21 la barba
22 i baffi
23 **il volto:**
24 la fronte
25 l'occhio,
gli occhi

26 il naso
27 l'orecchio,
le orecchie
28 la bocca
29 il mento
30 il collo

il corpo:
31 il tronco
32 il braccio,
le braccia
33 la mano
34 la pancia

35 la gamba
36 il piede
la pelle
il pelo
peloso (/a)

la città

CD classe 2 Piste 56 · MP3 Piste 98 · Page 62

1 il quartiere
2 il centro
3 la periferia
4 la via
5 la strada
6 l'incrocio
7 l'angolo
8 il ponte
9 il canale
10 la chiesa
11 il municipio
12 il palazzo
13 il grattacielo
14 la scuola
15 il museo
16 la biblioteca comunale
17 la piscina
18 lo stadio

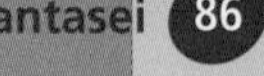

1. Trova le cinque differenze.

Quali differenze ci sono tra i due personaggi?

2. Gemelli?

Guarda attentamente i due supereroi.

a. Trova le somiglianze e le differenze tra Capitan Nova e Iron Man.

b. A tua volta, cerca due supereroi con somiglianze e differenze e descrivili.

3. Indovina chi è!

Leggi la presentazione di ogni personaggio e ritrova il suo nome in italiano nella lista che segue:
l'Uomo Ragno, la Donna Invisibile, la Torcia Umana, Hulk, la Cosa

1. Ha capacità di prendere fuoco volontariamente e volare. È ...
2. Ha una pelle fatta di pietra. Assomiglia quasi ad un oggetto. Si chiama ...
3. Può arrampicarsi sui muri, lancia ragnatele dai polsi: ...
4. Ha la possibilità di apparire e sparire: ...
5. È soprannominato il gigante verde: ...

4. Indovinelli

Chī è?

1. Leggete attentamente i tre indovinelli.

Indovinello n°1

Ha una forza sovrumana.
- Può volare e correre a velocità supersonica.
- Ha armi indistruttibili.
- È alta.
- Ha capelli lunghi e neri.
- Ha una tiara con una stella sulla testa.

Indovinello n°2

Non è dotato di superpoteri.
- È un grande scienziato.
- Ha un'armatura che lo rende super resistente.
- Ha una macchina.
- È vestito di nero.
- Ha una maschera nera.

Indovinello n°3

Ha una super forza.
- Può superare decine di volte la velocità della luce.
- Può volare.
- Lavora come giornalista nella redazione del *Daily Planet*.
- Indossa un costume blu e un mantello rosso.

2. Adesso tocca a voi! In due, scegliete un personaggio, costruite delle frasi per presentarlo e fate indovinare ai compagni chi è!

5. Anagrammi.

Ritrova gli eroi che si nascondono dietro i nomi di questi supercriminali.
Per gli anagrammi 2, 3 e 4, devi eliminare una, due o tre lettere per trovare il nome.
Esempio: LA LOSCA (-1 lettera: L) → LA COSA

1. NANO C: ...
2. UN ASSO (-1 lettera: O): ...
3. SPIA MODERNA (-2 lettere: A e O): ...
4. HO TORTO (-3 lettere: 2 O e T): ...

Scopriamo insieme

Fan di supereroi

03.11.2012, Il Terreno

LUCCA COMICS

L'invasione dei cosplayer

Sono tantissimi e coloratissimi. Impersonano il loro personaggio preferito facendo attenzione a ogni piccolo dettaglio[1]. I cosplayer hanno invaso[2] Lucca in occasione del Lucca Comics & Games. Oltre 1600 le iscrizioni alla gara[3], con un campo d'ispirazione che pesca dai fumetti ai manga giapponesi, dai cartoon del Sol Levante ai videogiochi, dai telefilm alla musica, dai giochi di ruolo ai libri. Poche regole, ma ferree[4]: il costume deve essere fatto a mano; no ad armi, petardi, getti d'acqua [...].

http://iltirreno.gelocal.it

1. *détail* - 2. *envahi* - 3. *concours* - 4. *strictes*

1. Chi sono i cosplayer?
2. A che cosa si ispirano?

un ragazzo speciale

1. Guarda il trailer, poi presenta il protagonista.
2. Ritrova il suo superpotere.
3. Indica qual è la sua nuova missione.

Lo sguardo dell' artista

Histoire des arts

Flavio Solo, *Emergence Festival,* Giardini Naxos,Taormina, 2013

Street Art e supereroi

Guarda il video e ritrova:

1. il nome dell'artista;
2. il nome inglese della corrente artistica;
3. cosa pensa il passante dei dipinti che vede;
4. la definizione di un supereroe per l'artista.

LO SAI?

«*Street art*» è un termine inglese che in italiano letteralmente significa «arte di strada»: la *street art* è quella forma d'arte che colora le strade delle città. È un'arte pubblica: gli artisti scelgono la strada perché la loro opera possa essere vista da tutti. L'arte di dipingere i muri in strada è molto antica: a Pompei sono stati ritrovati dipinti sui muri di manifesti elettorali, programmi delle feste e anche messaggi d'amore!

Manifesti elettorali, Pompei

Tocca a te!

Con il tuo professore, scegli uno di questi progetti.

1 *Inventa una pagina di un fumetto di supereroe.*

Crée une planche de BD de super-héros.

1. Écris au brouillon le synopsis de ta BD et invente un titre.
2. Prépare la planche en fonction du nombre de cases nécessaires.
3. Écris au brouillon les dialogues et didascalies que tu inséreras dans ta BD.
4. Entraîne-toi d'abord et dessine les personnages dans les cases.
5. Écris les dialogues au propre.

2 *Immagina i dialoghi per la scena di un film.*

Imagine la rencontre de deux super-héros et interprète la scène avec un camarade devant la classe.

1. Mettez-vous d'accord sur la scène que vous voulez créer ou reproduire.
2. Écrivez au style indirect le résumé de la scène.
3. Écrivez ensemble les dialogues de cette scène.
4. Entraînez-vous à la jouer en étant le plus expressif possible.
5. Présentez la scène à la classe et jouez-la.

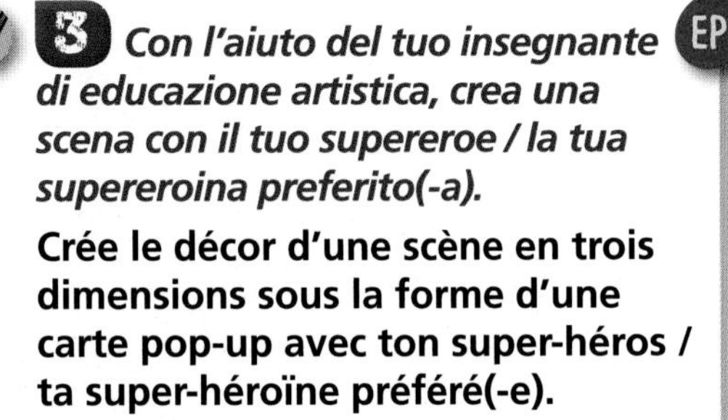

3 *Con l'aiuto del tuo insegnante di educazione artistica, crea una scena con il tuo supereroe / la tua supereroina preferito(-a).* EPI

Crée le décor d'une scène en trois dimensions sous la forme d'une carte pop-up avec ton super-héros / ta super-héroïne préféré(-e).

1. Choisis la scène d'un film qui t'a particulièrement plu.
2. Dessine ou représente cette scène en y collant des éléments significatifs (ciel, ville, immeuble…).
3. Insère ensuite ton héros en action au sein de ce décor.
4. En ouvrant ta carte, la scène devra se dresser en relief.
5. Rédige un petit texte qui décrit la scène représentée et qui sera placé devant le décor.

Buone feste!

BUONE FESTE! 25 DICEMBRE

Natale con i tuoi...

Tradizioni natalizie in Italia

Le tradizioni natalizie più diffuse sono il **presepe** e l'**albero di Natale**.
Il presepe moderno rappresenta il luogo e tutti i personaggi della Natività (Gesù bambino, la Madonna, Giuseppe, un angelo, i Re Magi).
Ha origini antichissime.
Una tradizione tutta italiana è il presepe vivente.
Nel 1223 a Greccio (Umbria) San Francesco d'Assisi realizza il primo presepe di questo tipo.
L'origine dell'**albero di Natale** è associata a numerose tradizioni pagane[1] o cristiane.
Nell'Europa del Nord, l'abete[2] è simbolo di lunga vita. Entra nelle case italiane alla fine del XIX secolo e diventa un costume popolare.
Tradizionalmente, è presente nelle case dall'8 dicembre al 6 gennaio, giorno dell'Epifania.
La figura folkloristica di Natale è **Babbo Natale**.
Deriva da un personaggio storico, il vescovo[3] San Nicola che faceva doni ai più poveri[4] durante il periodo natalizio.
La rappresentazione moderna di Babbo Natale, vestito di rosso e con le renne, è invece[5] abbastanza recente.

adatto da http://www.natale.it/tradizioni-natalizie

1. *païennes* - 2. *le sapin* - 3. *l'évêque* - 4. *qui faisait des dons aux plus pauvres* - 5. *au contraire*

PER AIUTARTI

CD classe 2 Piste 57

BUONE FESTE! 25 DICEMBRE

L'adorazione dei Magi e il presepe vivente

Taddeo di Bartolo, *Adorazione dei Magi,* 1405, Pinacoteca Nazionale, Siena

Presepe vivente, Rignano Garganico, Puglia

- Leggi il testo pagina 92 e identifica i diversi personaggi della Natività nel dipinto e nella foto.
- Crea con la tua squadra un altro calligramma di Natale.

A
chi
ama
dormire
ma si sveglia[1]
sempre di buon
umore, a chi saluta
ancora con un bacio, a
chi lavora molto e si diverte di
più, a chi arriva in ritardo ma non
cerca scuse[2], a chi spegne[3] la televisione,
a chi non aspetta Natale per essere migliore.
Buon Natale!

E adesso divertiamoci con il gioco di Natale!

→ Apri il tuo quaderno d'attività  Page 63

1. *se réveille*
2. *des excuses*
3. *éteint*

BUONE FESTE! 6

La Befana vien di notte

La vera storia della Befana

Un'altra figura folkloristica di Natale è la Befana. La Befana è una vecchia brutta e gobba[1] che viaggia a cavallo della sua scopa[2] ed entra nelle case attraverso il camino.

La notte tra il 5 e il 6 gennaio, mentre[3] tutti dormono, infila doni e dolcetti[4] nelle calze dei bambini appese[5] al caminetto. Ai bambini buoni lascia caramelle[6] e dolcetti, a quelli cattivi lascia pezzi[7] di carbone.

La Befana si festeggia nel giorno dell'Epifania, che, di solito, chiude le vacanze natalizie.

Il termine Befana deriva dalla parola Epifania, la festa religiosa che ricorda la visita dei Re Magi a Gesù bambino.

adatto da http://www.carabefana.it

1. *bossue* - 2. *son balai* - 3. *pendant que* - 4. *des friandises* - 5. *accrochées* - 6. *des bonbons* - 7. *des morceaux*

La Befana, Patrizia La Porta, 1999

- **Descrivi l'immagine aiutandoti con il testo.**

La Befana trullalà

CD classe 2 Piste 58 — MP3 Piste 99

Trullala' Trullala' Trullala'.
La Befana vien di notte,
con le scarpe[1] tutte rotte[2],
con la calza appesa al collo,
col carbone, col ferro e l'ottone[3].
Sulla scopa per volare.
Lei viene dal mare.
Lei viene dal mare.

Gianni Morandi

1. *les chaussures* - 2. *cassées* - 3. *le laiton*

- **Ascolta la canzone di Gianni Morandi e cantala con i tuoi compagni.**

La Befana con il razzo

Piste 59 Piste 100

La Befana quest'anno
è arrivata a bordo di un razzo[1],
con armadi zeppi[2] di doni.
Davanti ad ogni armadio,
c'era un robot elettronico
con tutti gli indirizzi[3] dei bambini.
Non solo dei buoni, ma di tutti:
perché bambini cattivi[4]
non ne esistono,
e la Befana,
finalmente, lo ha imparato[5].

Gianni Rodari

1. *une fusée* - 2. *des armoires pleines à craquer* - 3. *les adresses* - 4. *méchants* - 5. *l'a appris*

Leggi la filastrocca e illustrala nel tuo quaderno d'attività. Poi ascoltala e imparala a memoria.

La Befana non li aiuta perché è troppo occupata.

Da allora, bussa[1] a tutte le porte e lascia un dono ad ogni bambino.

I Re Magi si mettono in cammino[2] per trovare Gesù bambino.

Bussano alla porta della casa della Befana e chiedono la strada[3] per Betlemme.

Però, un po' più tardi, pensa di aver fatto un errore e decide di ritrovare i Re Magi.

...

1. *elle frappe* - 2. *se mettent en route* - 3. *ils demandent le chemin*

Rimetti in ordine la storia della Befana e completa il fumetto nel tuo quaderno d'attività.

E adesso divertiamoci con la Befana!

Page 65

BUONE FESTE! FEBBRAIO

A Carnevale, ogni scherzo vale

Il Carnevale

Il Carnevale è una festa che si celebra nei paesi di tradizione cattolica. La parola carnevale deriva dall'espressione latina *carnem levare* (eliminare la carne) perché dopo l'ultimo giorno di Carnevale (Martedì Grasso) comincia la Quaresima[1], periodo di digiuno[2] e di astinenza[3].

Le origini risalgono[4] all'Antichità.

Tutti i carnevali hanno caratteristiche comuni: travestimento[5], maschere, processioni, festeggiamenti allegri, lanci di coriandoli.
I carnevali italiani più famosi sono quelli di:

- Venezia (Veneto), celebre per la bellezza dei costumi dell'epoca di Casanova e delle maschere e che si apre con il volo dell'angelo;
- Viareggio (Toscana), caratterizzato da sfilate di carri allegorici con enormi caricature di uomini famosi;
- e Ivrea (Piemonte), famoso per la battaglia delle arance[6].

1. *Carême* - 2. *jeûne* - 3. *abstinence* - 4. *remontent* - 5. *déguisement* - 6. *des oranges*

▶ **Leggi il testo e presenta ogni foto.**

2

3

1

BUONE FESTE!

FEBBRAIO

Carnevale

CD classe 2 Piste 60 — MP3 Piste 101

Carnevale in filastrocca,
con la maschera sulla bocca,
con la maschera sugli occhi,
con le toppe[1] sui ginocchi[2]:
sono le toppe d'Arlecchino,
vestito[3] di carta, poverino.
Pulcinella è grosso e bianco,
e Pierrot fa il saltimbanco.
Pantalon dei Bisognosi –
Colombina, – dice, – mi sposi?
Gianduia lecca[4] un cioccolatino
e non ne dà niente a Meneghino,
mentre Gioppino col suo randello[5]
mena botte[6] a Stenterello.
Per fortuna il dottor Balanzone
gli fa una bella medicazione,
poi lo consola: – È carnevale,
e ogni scherzo per oggi vale.

Gianni Rodari

1. *les pièces (de tissu)* - 2. *les genoux* - 3. *vêtu* - 4. *lèche* - 5. *son gourdin* - 6. *donne des coups*

Ritrova il nome dei personaggi e rileva una caratteristica fisica o morale.

→ Apri il tuo quaderno d'attività Page 67

BUONE FESTE!

... Pasqua con chi vuoi!

Felice Pasqua!

La Pasqua celebra la risurrezione di Gesù ed è la festa principale del cristianesimo. Il giorno dei festeggiamenti[1] è la prima domenica dopo i quaranta giorni di Quaresima. La Pasqua italiana si svolge in tre giornate: il Venerdí Santo, la Domenica di Pasqua e il Lunedí di Pasqua (chiamato Pasquetta). Gli italiani amano organizzare un' escursione per Pasquetta.

Il giorno di Pasqua è anche un' occasione per fare un buon pranzo[2] in famiglia. Ecco i principali piatti[3] comuni a molte regioni:

1 agnello (simbolo pasquale) con i piselli[4] (segno dell' arrivo della primavera),

2 cappelletti in brodo (per una cena leggera dopo il pranzo abbondante della domenica di Pasqua),

3 Colomba (dolce a forma di colomba ricoperto di zucchero[5] e mandorle[6]),

4 uovo di Pasqua (la domenica di Pasqua, i genitori nascondono[7] le uova di cioccolato per i bambini).

1. des réjouissances - 2. un bon repas - 3. les principaux plats - 4. les petits pois - 5. sucre - 6. amandes - 7. cachent

1

2

3

4

Con la tua squadra, scegliete un piatto, fate delle ricerche su Internet e presentate la ricetta alla classe.

Dall'uovo di Pasqua

CD classe 2 Piste 62 — MP3 Piste 102

Dall'uovo di Pasqua
è uscito un pulcino[1]
di gesso[2] arancione
col becco turchino[3].
Ha detto: Vado,
mi metto in viaggio
e porto a tutti
un grande messaggio.
E volteggiando[4]
di qua e di là
attraversando[5]
paesi e città
ha scritto sui muri,
nel cielo e per terra:
Viva la pace,
abbasso[6] la guerra

Gianni Rodari, *Il libro delle filastrocche*

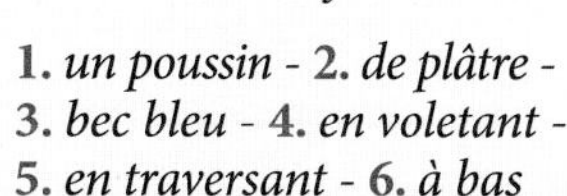

1. *un poussin* - **2.** *de plâtre* - **3.** *bec bleu* - **4.** *en voletant* - **5.** *en traversant* - **6.** *à bas*

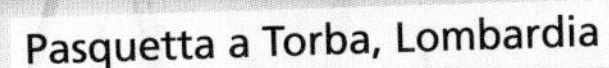

Pasquetta a Torba, Lombardia

Ascolta la filastrocca. Poi, impara e recita la filastrocca.

E adesso divertiamoci con il gioco di Pasqua!

→ Apri il tuo quaderno d'attività Page 68

L'angolo della lettura

UNITÀ 3

Lettura 1

Page 69

Che cosa sai dell'Unione europea (UE)?

Sai che nell'Unione europea vivono più di 500 milioni di persone?

Sai che gli abitanti dell'Unione europea parlano 24 lingue ufficiali diverse?

E che l'Unione europea è stata creata più di 50 anni fa ed è passata da 6 a 28 paesi?

E conosci la bandiera europea, con le sue dodici stelle dorate su sfondo blu?

Adattato da http://europa.eu/kids-corner

Lettura 2

Page 69

La prof di matematica

Parla Paolo, un alunno di terza media.

Io, Marcos e il Golden Boy* formiamo una squadra perfetta fin dalla prima media. La nostra organizzazione è imbattibile, riusciamo sempre a passarci i compiti. Ma da quando Marcos non viene a scuola, siamo nei guai[1].

Stamattina c'è il primo compito di matematica dell'anno e senza di lui sarà dura cavarsela[2]. Io non ho aperto libro e comunque sarebbe inutile. Per la matematica sono negato[3]. Penso di essere l'anti-matematica in persona. [...]

Io sono come ipnotizzato dal foglio davanti a me. Passa la prima ora senza che abbia risolto[4] alcun esercizio. [...]

Quando suona la campanella, la professoressa Zarri passa tra i banchi a ritirare i compiti. Ha i capelli grigi, gli occhi penetranti e un' espressione che sembra voglia prenderti per il collo e azzannarti[5]. Una specie di dobermann: secondo me è la faccia perfetta per una prof di matematica.

Il suo soprannome è Zeta, perché la sua firma sembra proprio la zeta di Zorro.

Ci manca soltanto la maschera da giustiziera mascherata. Uff. Chissà se in qualche angolo del mondo esiste una prof di matematica dolce, carina e comprensiva...

Marco Innocenti, *La proteina dell'amore,* Giunti Junior, 2007

*È un soprannome. Il vero nome del personaggio è Giovanni.
1. *nous sommes dans une situation difficile* - **2.** *sans lui, ce sera difficile de s'en tirer* - **3.** *je suis nul* - **4.** *sans que je n'aie résolu* - **5.** *on dirait qu'elle veut t'étrangler et te mordre*

Lettura 3

Page 70

È l'estate!

È finita.

Vacanze. Vacanze. Vacanze.

Per tre mesi. Come dire sempre.

La spiaggia. I bagni. Le gite in bicicletta con Gloria. [...]

Pietro Moroni appoggia[1] la bici contro il muro e si guarda in giro.

Ha dodici anni compiuti[2], ma sembra più piccolo della sua età.

È magro. Abbronzato. [...]

Dov'è Gloria? Si chiede.

Passa tra i tavolini affollati[3] del bar Segafredo.

Ci sono tutti i suoi compagni.

E tutti ad aspettare, a mangiare gelati, a cercarsi un pezzetto d'ombra[4].

Fa molto caldo.

[...]

Sono le undici di mattina e il termometro segna trentasette gradi.

[...]

Il cancello[5] della scuola è chiuso.

I risultati non sono stati affissi.

[...]

Esce.

Eccola!

Gloria se ne sta seduta sul muretto. Dall'altra parte della strada.

La raggiunge. Lei gli dà una pacca[6] sulla spalla e gli chiede: «Hai paura?».

«Un po'.»

«Pure io.»

Niccolò Ammaniti, *Ti prendo e ti porto via,*
Arnoldo Mondadori Edotore S.p.A., 2003

1. *appuie* - **2.** *révolus* - **3.** *tables bondées* - **4.** *un petit coin d'ombre* -
5. *le portail* - **6.** *une tape*

Lettura 4

Page 70

Defenders of Europe
Autore: Fabrizio De Fabritiis
Disegni: Aurelio Mazzara
Colori: Daniele Rudoni

Lettura 5

Page 71

FUMETTI: DALLA MARVEL UN NUOVO PERSONAGGIO CON APPARECCHIO ACUSTICO[1]

Ora Anthony porta con orgoglio il suo «blue ear», l'apparecchio acustico che gli serve per sentire.

Che si sappia, i super eroi hanno sempre qualcosa di super: super vista, super velocità, super forza... insomma, tutto super. Quando mai si è visto un eroe con qualche problema? È questo il pensiero che facciamo tutti, compreso il piccolo Anthony, di cui *Fox News* riporta la storia sul suo sito.

LA STORIA – Anthony è un bambino di quattro anni sordo[2] quasi completamente da entrambe le orecchie, con la passione per i fumetti e i super eroi che li animano. Beh, nessun supereroe, ha notato giustamente Anthony, deve portare quello che lui chiama «blue ear» (orecchio blu), che altro non è che l'apparecchio acustico, per cui non trova giusto di doverlo fare lui. A nulla sono valsi i tentativi della mamma per fare accettare al piccolo l'ausilio[3].

L'INTERVENTO DELLA MARVEL – Infine l'idea: scrivere alla Marvel, casa editrice che pubblica le storie di Spiderman, Ironman, Hulk, gli eroi tanto amati da Anthony. [...] Alla casa editrice Marvel la storia di Anthony non è passata inosservata, e hanno deciso infatti di non guardare solo al passato, ma a pensare al futuro, pubblicando una striscia[4] in cui compare un nuovo personaggio dotato proprio di apparecchio acustico dal nome, pensate un po', Blue Ear.
Ora la gioia di Anthony è quella di un bambino che può sognare davvero di diventare come il suo supereroe preferito.

www. disabili.com

1. *prothèse auditive* - **2.** *sourd* - **3.** *Les tentatives de la mère pour faire accepter sa prothèse à son petit n'ont servi à rien.* - **4.** immagini di un fumetto

Lingua

DIZIONARIO DEI VERBI
MARIOTTI
Coniugazione dei verbi ausiliari e di 200 verbi irregolari
Grammatica e Sintassi
MARIOTTI PUBLISHING
Armellini Colombo
La letteratura italiana
2
Quattrocento e Cinquecento

SOMMAIRE

SOMMAIRE

IV. LES VERBES

V. GRAMMATICA ATTIVA

Les points grammaticaux que tu étudies leçon après leçon doivent te permettre de t'exprimer dans différentes situations de la vie courante. Ces pages te proposent quelques-unes de ces situations. Elles te montreront l'utilité des structures grammaticales travaillées en classe et te convaincront de la nécessité de bien les assimiler.

I. LA PRONONCIATION

1. Les voyelles

Le vocali

Les voyelles *a*, *i*, et *o* se prononcent comme en français.

EXEMPLE **i**t**a**lian**o**

Le son « o » peut être fermé comme dans le nom *colore*.
Il peut être aussi ouvert comme dans le prénom *Veronica*.

Le *e* se prononce [é] ou [è]. Il n'est jamais muet, même à la fin des mots.

EXEMPLE **e**stat**e** *se prononce* [èstaté]

Le *u* se prononce [ou], même après le *g* ou le *q*.

EXEMPLES
la **gu**erra
quindici
quattro

Contrairement au français, dans les groupes de lettres voyelle + *m* ou *n*, les voyelles ne sont jamais nasalisées : toutes les lettres se prononcent.

EXEMPLE
Fr**an**cia *se prononce* [franne-tcha].

Dans les groupes de voyelles (diphtongues, triphtongues), toutes les voyelles se prononcent.

EXEMPLES
Europa *se prononce* [é-ou-ro-pa].
Fr**iu**li-Venez**ia** G**iu**lia *se prononce* [fri-ou-li vé-né-ts-i-a djou-li-a].
Aiutare *se prononce* [a-i-ou-ta-ré].

2. Les consonnes

Le consonanti

L'alphabet italien comprend 16 consonnes :

b [bi]
c [tchi]
d [di]
f [èffé]
e [è]
g [dji]
h [acca]
m [èmmé]
n [ènné]
l [èllé]
p [pi]
q [cou]
r [èrré]
s [èssé]
t [ti]
v [vou / vi]
z [dzèta]

Les lettres j (*i lunga*), k (*kappa*), w (d*oppia vou*), x (*ics*) et y (*i greca o ipsilon*) ne sont pas considérées comme faisant partie de l'alphabet italien, mais sont utilisées dans les mots empruntés à d'autres langues.

EXEMPLES
jeans
taxi
western
yogurt

La plupart des consonnes se prononcent comme en français, mais il existe des particularités.

c + a, o, u	[k]	il **co**gnome Tos**ca**na
c + e, i	[tch]	la **ci**ttà
c + h	[k]	la **chi**esa Mar**che**
c + i + a, o, u	[tch]	le *i* ne se prononce pas. il **ci**occolato se prononce [tchoccolato] Fran**cia** **cia**o!
g + a, o, u	[g]	il **ga**tto *(le chat)* Li**gu**ria
g + e, i	[dj]	il **gi**ro **Ge**nova
g + h	[g]	gli spa**gh**etti
g + i + a, o, u	[dj]	le *i* ne se prononce pas. **Gio**vanni se prononce [Djovanni] **gia**llo **giu**sto
gn	[ny]	se prononce toujours comme en français. la monta**gn**a lo spa**gn**olo
gl + a, e, o, u	[gl]	il **gla**diatore
gl + i	[lii]	se prononce très mouillé (comme le mot « lieu » en français). Pu**gli**a la fami**gli**a lu**gli**o

sc + a, o, u	[sk]	la **scu**ola
sc + e, i	[ch]	la **sce**lta *(le choix)* lo **sci**
sc + h	[sk]	lo **sch**ema [skéma]
sc + i + voyelle	[ch]	le *i* ne se prononce pas quand il est suivi d'une voyelle ! la **sci**enza [chèntsa] exception : **sci**are *(skier)* *se prononce* [chi-a-ré]
s	[s] [z]	se prononce toujours comme en français : le *s* entre deux voyelles se prononce [z], tandis que le *s* en début de mot se prononce [s]. il **s**ole [sole] la ro**s**a [roza]
z	[dz] [tz]	me**zz**ogiorno [méd-dzo-djor-nohi-a-ré] l'equita**z**ione [é-koui-ta-tsio-né] la pi**zz**a [pit-tsa]

Les doubles consonnes

Les doubles consonnes se prononcent toutes les deux.
On doit insister en les prononçant plus longtemps.

Ainsi on prononce différemment :

la pe**n**a *(la peine)* / la pe**nn**a [pen-na] *(le stylo)*
la se**t**e *(la soif)* / se**tt**e [set-té] *(sept)*

II. LES OUTILS DU DISCOURS

1. Le genre des noms et des adjectifs

En règle générale :

– Les noms et les adjectifs masculins ont une terminaison en *-o*.

EXEMPLES ragazz**o**
libr**o**
italian**o**

ragazza

ragazzo

– Les noms et les adjectifs féminins ont une terminaison en *-a*.

EXEMPLES ragazz**a**
cas**a**
spagnol**a**

– Mais de nombreux noms et adjectifs ont une terminaison en *-e*. Ils peuvent être masculins ou féminins.

Dans ce dernier cas, c'est l'article ou l'adjectif employé avec le nom qui permet de reconnaître le genre.

masculin	féminin	masculin ou féminin
il signor**e** l'autor**e**	la mogli**e** la luc**e**	il client**e** ingles**e** simpatic**o** la client**e** ingles**e** simpatic**a** il corrispondent**e** italian**o** la corrispondent**e** italian**a**

Attention !

Il y a cependant quelques exceptions.

– Certains noms masculins ont une terminaison en *-a*.

EXEMPLES il problem**a**
il poet**a**
il musicist**a**
il belg**a**

– L'adjectif *belga* peut être masculin ou féminin.
Certains noms comme *turista* peuvent aussi être masculin ou féminin.

EXEMPLES un ragazzo belg**a** — una ragazza belg**a**
un turist**a** spagnolo — una turist**a** spagnola

– Certains noms féminins ont une terminaison en *-o*.

EXEMPLES la man**o**
la mot**o** (motocicletta)
la fot**o** (fotografia)

Attention !

Tous les noms en *-ore* sont masculins. Sauf *la folgore* (la foudre).

EXEMPLES il fior**e**
il valor**e** *(la valeur)*
il sapor**e** *(la saveur)*

2. Le pluriel des noms et des adjectifs

Tous les noms et adjectifs italiens ont un pluriel en *-i* sauf les noms féminins en *-a* qui font leur pluriel en *-e*.

Noms et adjectifs	Pluriel	Exemples
en *-o*	en *-i*	ragazz**o** → ragazz**i** italian**o** → italian**i**
en *-e*	en *-i*	professor**e** → professor**i** lezion**e** → lezion**i** facil**e** → facil**i**
masculins en *-a*	en *-i*	problem**a** → problem**i**
féminins en *-a*	en *-e*	ragazz**a** → ragazz**e** italian**a** → italian**e**

Attention !

Il y a cependant quelques exceptions.
Le nom féminin *la mano* fait son pluriel en *-i*.

EXEMPLE la man**o** destra → le man**i** destre

L'adjectif masculin *belga* fait son pluriel en *-i*.

EXEMPLE un ragazzo belg**a** → due ragazzi belg**i**

3. Les noms invariables

– Les mots accentués sur la dernière syllabe (*parole tronche*)

EXEMPLE la città → le citt**à**

– Les mots qui ne sont constitués que d'une seule syllabe (les monosyllabes)

EXEMPLES il re *(le roi)* → i r**e**
la gru *(la grue)* → le gr**u**

– Les noms qui finissent par une consonne

EXEMPLES il camion → i camio**n**
lo sport → gli spor**t**

– Les noms qui finissent par un *-i*

EXEMPLES la crisi *(la crise)* → le cris**i**
l'analisi *(l'analyse)* → le analis**i**

– Les noms qui finissent par *-ie*

EXEMPLES la specie *(l'espèce)* → le spec**ie**
la serie → le ser**ie**

– Quelques noms communs qui sont des abréviations

EXEMPLES il cinema → i cinem**a**
la foto → le fot**o**
la radio → le radi**o**
il film → i fil**m**

– Les noms d'origine étrangère

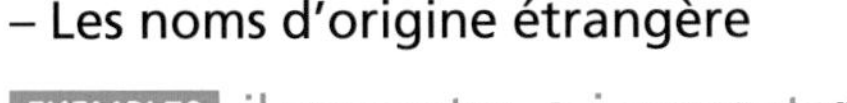

EXEMPLES il computer → i compute**r**
il mouse → i mous**e**
il revolver → i revolve**r**

4. Quelques pluriels particuliers

– Les noms en *-io*

Si le *-i* est accentué au singulier, il est conservé au pluriel.

EXEMPLE lo zi**o** → gli zi**i**

Si le *-i* n'est pas accentué au singulier, il disparaît au pluriel.

EXEMPLE l'esercizi**o** → gli esercizi

– Les noms en *-co* et *-go*

Si le nom est accentué sur l'avant-dernière syllabe, son pluriel se forme en *-chi* et *-ghi*.

EXEMPLES il parc**o** → i par**chi**
il mag**o** *(le magicien)* → i ma**ghi**

Attention !

Sauf pour :

amico → amic**i**
nemico → nemic**i**
greco → grec**i**
porco → porc**i**

Si le nom est accentué sur l'avant-avant-dernière syllabe, son pluriel se forme en *-ci* et *-gi*.

EXEMPLES il medi**co** *(le médecin)* → i medic**i**
lo psicolo**go** → gli psicolog**i**

– Les noms masculins en *-ca* et *-ga*

Ils font leurs pluriel en *-chi* et *-ghi*.

EXEMPLES il patriar**ca** → i patriar**chi**
il colle**ga** → i colle**ghi**

– Les noms qui, au singulier sont masculins, mais qui ont un pluriel féminin et irrégulier en *-a*

EXEMPLES il paio *(la paire)* → **le** pai**a**
il centinaio *(la centaine)* → **le** centinai**a**
l'uovo *(l'œuf)* → **le** uov**a**

– Les noms masculins ayant un double pluriel
pluriel régulier en *-i* = sens figuré,
pluriel irrégulier en *-a* = sens propre.

EXEMPLES il braccio → **i** bracc**i** *(les bras du fleuve)*,
le bracci**a** *(du corps)*
il membro → **i** membr**i** *(les membres de la famille)*,
le membr**a** *(du corps)*
il muro → **i** mur**i** (di una casa),
le mur**a** (di una fortezza)

– Et encore d'autres pluriels particuliers

EXEMPLES l'uomo → gli **uomini**
il dio → gli **dei**
il tempio → i templ**i**
l'ala → le al**i**
l'arma → le arm**i**

5. Les articles

a. L'article indéfini

Masculin	Exemples
devant une voyelle	**un a**mico
devant une consonne simple	**un r**agazzo
devant un *s*- impur* ou un *z*-	**uno sp**ortivo - **uno z**io

**s*- suivi d'une consonne

On emploie aussi *uno* devant des noms plus rares commençant par *gn-*, *pn-*, *ps-*, *x-*, *y-*.

EXEMPLES **uno gn**omo
uno pneumatico
uno psicologo
uno xilofono
uno yogurt

Féminin	Exemples
devant une voyelle	**un'a**mica
devant une consonne simple	**una r**agazza **una sp**ortiva **una z**ia

b. L'article défini

Féminin	Singulier	Pluriel
devant une voyelle	**l'a**mico	**gli a**mici
devant une consonne simple	**il r**agazzo	**i r**agazzi
devant un s- impur ou un z-	**lo sp**ortivo - lo zio	**gli sp**ortivi - **gli z**ii

On emploie aussi *lo* / *gli* devant des noms plus rares commençant par *gn-*, *pn-*, *ps-*, *x-*, *y-*.

EXEMPLES		
	lo gnomo	**gli gn**omi
	lo pneumatico	**gli pn**eumatici
	lo psicologo	**gli ps**icologi
	lo xilofono	**gli x**ilofoni
	lo yogurt	**gli y**ogurt

c. L'article contracté

Quand l'article défini est précédé des prépositions *a*, *di*, *da*, *in* et *su*, il se contracte avec elles pour ne former qu'un seul mot. Ces contractions sont obligatoires.

	il	**l'**	**lo**	**i**	**gli**	**la**	**l'**	**le**
a	al	all'	allo	ai	agli	alla	all'	alle
di	del	dell'	dello	dei	degli	della	dell'	delle
da	dal	dall'	dallo	dai	dagli	dalla	dall'	dalle
in	nel	nell'	nello	nei	negli	nella	nell'	nelle
su	sul	sull'	sullo	sui	sugli	sulla	sull'	sulle

EXEMPLES

Il libro **dell'**insegnante è **sul** banco.
di + l' su + il

Gli alunni parlano **dei** professori e **della** scuola.
di + i di + la

La bambina gioca **nel** parco.
in + il

6. Les adjectifs numéraux cardinaux et ordinaux

a. Les adjectifs numéraux cardinaux

Il faut connaître les adjectifs numéraux cardinaux de 1 à 19 ainsi que les dizaines :

uno	dieci	venti
due	undici	trenta
tre	dodici	quaranta
quattro	tredici	cinquanta
cinque	quattordici	sessanta
sei	quindici	settanta
sette	sedici	ottanta
otto	diciassette	novanta
nove	diciotto	
	diciannove	

À partir de 21, il faut appliquer la règle suivante : on part de la dizaine à laquelle on ajoute les adjectifs numéraux cardinaux de 1 à 9.

EXEMPLES venti + sei = ventisei
trenta + nove = trentanove

Attention !
Devant *uno* et *otto* la voyelle finale de la dizaine disparaît.
Tre doit être accentué quand il est à la fin d'un nombre.

EXEMPLES 28: vent**o**tto
31: trent**u**no
33: trentatr**é**

Attention !
Cento est invariable mais les multiples de *mille* s'écrivent ainsi : duemila, tremila, quattromila...

La décomposition et la lecture se font de la même façon qu'en français.

EXEMPLE 2018: duemiladiciotto

b. Les adjectifs numéraux ordinaux

1°: primo	6°: sesto
2°: secondo	7°: settimo
3°: terzo	8°: ottavo
4°: quarto	9°: nono
5°: quinto	10°: decimo

À partir de 11, on forme l'adjectif numéral ordinal en ôtant la voyelle finale du nombre cardinal et en ajoutant le suffixe *-esimo*.

EXEMPLES 11°: undici = undic**esimo**
12°: dodici = dodic**esimo**
51°: cinquantuno = cinquantun**esimo**

Attention aux adjectifs numéraux cardinaux qui se terminent par *tre* ou *sei*.

EXEMPLES ventitré → ventitr**esimo**
trentasei → trentasei**esimo**

On emploie l'adjectif numéral ordinal, pour désigner les papes, les rois, les empereurs, les actes ou les scènes d'une pièce de théâtre, les chapitres d'un livre, les siècles...

EXEMPLES Vittorio Emanuele II (= secondo)
atto I (= primo), scena II (= seconda)
XX: il Ventesimo secolo

Attention à la place de l'adjectif numéral ordinal dans la phrase.

EXEMPLES I **primi** tre corridori ricevono una medaglia.
L'allievo deve imparare le **ultime due** strofe della poesia.

7. Les prépositions

a. *a* (à)

EXEMPLE Devo telefonare **a** Matteo.

Elle est employée aussi avec d'autres prépositions (*vicino a*, *in riva a*, *fino a*…) et après des verbes de mouvements suivis d'un infinitif.

EXEMPLES Vengo **a** parlare con te.
Va **a** fare la spesa.

b. *di* (de)

Elle introduit le plus souvent un complément de nom.

EXEMPLES **Di** chi è questo quaderno?
È il quaderno **di** Lisa.

Elle indique également :
– le contenu

EXEMPLE la tazza **di** tè

– la matière

EXEMPLE un vestito **di** lino

– et elle est employée après certains verbes.

EXEMPLE cercare **di**

c. *da* (a plusieurs sens)

– *da* = chez

EXEMPLE Vado **dal** medico.

– *da* = par

EXEMPLE È una filastrocca scritta **da** Gianno Rodari.

– *da* = depuis, c'est-à-dire l'origine (dans l'espace ou le temps)

EXEMPLES Va a piedi **dal** liceo alla spiaggia.
Il negozio è aperto **dalle** 8 alle12.

– *da* = la valeur

EXEMPLE il biglietto **da** 10 euro

– *da* = le contenant

EXEMPLE la tazza **da** tè

– *da* = la caractéristique physique ou morale

EXEMPLE la ragazza **dai** capelli rossi e **dallo** sguardo triste

– *da* = l'obligation

EXEMPLE L'esercizio **da** fare per domani non è facile.

d. *in* (en, dans, à)

EXEMPLES Vive **in** Emilia-Romagna, **in** Italia.
Abito **in** campagna, **in** montagna.
È nato **nel** 1985.

e. *su* (sur)

EXEMPLES Devi guardare l'itinerario **su** una piantina.

8. Les adjectifs et les pronoms possessifs

	Singulier	Pluriel
Masculin	il mio amico il tuo amico il suo amico il nostro amico il vostro amico il loro amico	i miei amici i tuoi amici i suoi amici i nostri amici i vostri amici i loro amici
Féminin	la mia amica la tua amica la sua amica la nostra amica la vostra amica la loro amica	le mie amiche le tue amiche le sue amiche le nostre amiche le vostre amiche le loro amiche

Attention !
L'adjectif possessif est généralement précédé de l'article défini.
Le possessif varie en genre et en nombre en fonction du nom qui suit à l'exception de *loro* qui est invariable.

a. L'emploi des adjectifs possessifs avec les noms de parenté :

On ne doit pas utiliser l'article défini lorsque le nom de parenté est au singulier.

EXEMPLES **mio** fratello
mia cugina

L'article défini redevient obligatoire :
– au pluriel,

EXEMPLE **i miei** fratelli

– devant *loro*,

EXEMPLE **il loro** zio

– quand le nom est modifié par un suffixe,

EXEMPLES **la mia** sorellina
il mio fratellino

– avec *mamma* et *papà*,

EXEMPLE **la mia** mamma

Attention !
On dira *mia madre*.

– et lorsque le nom de parenté est accompagné d'un adjectif ou d'un complément.

EXEMPLES **la mia** cugina di Milano
il mio fratello gemello

b. Les pronoms possessifs

Ses formes sont identiques à celles de l'adjectif.

EXEMPLE Non ho la mia matita.,
Posso prendere **la tua**?

La forme sans article est employée pour traduire « à moi », « à toi »...

EXEMPLE Questo libro non è **tuo**, è **mio**.

9. Les pronoms personnels

Pronoms sujets	Pronoms réfléchis	Pronoms COD	Pronoms COI	Après une préposition
io	mi	mi	mi	me
tu	ti	ti	ti	te
lui / lei	si	lo / la	gli / le	lui / lei
noi	ci	ci	ci	noi
voi	vi	vi	vi	voi
loro	si	li / le	loro / gli	loro
Les pronoms sujets sont facultatifs. Ils sont utilisés pour insister ou éviter une confusion : **io** studio, **tu** giochi.	**Mi** presento: sono Lisa. **Si** chiama Matteo.	Ils remplacent le COD dans une phrase. Ils sont généralement placés avant le verbe. (voir l'emploi des pronoms COD et COI).	Ils remplacent le COI dans une phrase. Ils sont généralement placés avant le verbe sauf *loro* (voir l'emploi des pronoms COD et COI).	Ils sont utilisés après les prépositions *a*, *di*, *da*, *per*, *con*, *in*, *su*.

L'emploi des pronoms COD et COI :

EXEMPLES Guardo il mio amico. → **Lo** guardo.
Prende i libri. → **Li** prende.
Telefona a Patrizia. → **Le** telefona.
Porta i libri ai vicini. → Porta **loro** i libri

10. Les quantitatifs

Quanto, *molto*, *tanto*, *troppo*, *poco* sont invariables lorsqu'ils sont adverbes. Dans ce cas, ils accompagnent un adjectif ou un verbe.

EXEMPLES Questa ragazza è **molto** bella.
I ragazzi sono **molto** simpatici.
Hulk è enorme! Mangia **troppo**?
Leggete **poco**.

Quand *quanto*, *molto*, *tanto*, *troppo*, *poco* sont adjectifs, ils s'accordent en genre et en nombre avec le nom qui suit.

EXEMPLES Ci sono **molte** ragazze.
Beve **tanta** pozione magica.
Guarda **troppi** film di supereroi.
Leggete **pochi** romanzi.

Ils peuvent également être pronoms : dans ce cas, ils prendront le genre et le nombre du nom qu'ils remplacent.

EXEMPLE Ha visto **molta** gente? No, **poca**.

11. Les pronoms interrogatifs

– Chi?

EXEMPLES **Chi** è il tuo professore d'italiano?
Chi sono?

– Che? / Che cosa?

EXEMPLE **Che cosa** leggi?

Attention !

Devant la 3e personne du singulier du verbe *essere*, *cosa* perd le *-a* final.

EXEMPLE Che cos'è? *(Qu'est-ce que c'est ?)*

– Dove? *(où)*

EXEMPLE **Dove** vivi?

– Come? *(comment)*

EXEMPLE **Come** stai?

– Quando? *(quand)*

EXEMPLE **Quando** vieni in Francia?

– Quanto? *(combien)*

EXEMPLE **Quanto** costa *(coûte)* il biglietto per il concerto?

III. S'EXPRIMER

1. La traduction de « il y a »

L'expression « il y a » se traduit par le verbe *essere*, précédé du pronom *ci* qui s'accorde en genre et en nombre avec le sujet réel.

EXEMPLES **C'è** un problema.
Ci sono parecchie soluzioni.

2. La traduction de « aimer »

On distingue plusieurs façons de traduire le verbe « aimer ».

a. *amare (qualcuno o qualcosa)*

Amare traduit l'amour sentimental ou un élan très fort.

EXEMPLES **Amo** mio marito.
Amo mia moglie.
Amo il mio paese.
Amo la libertà.
Amo la pace.
Ti **amo**.

b. *volere bene a (qualcuno)*

Volere bene a traduit l'affection envers les personnes.

EXEMPLES Voglio bene a mia sorella. → Le voglio bene.
Voglio bene al mio compagno di classe. → Gli voglio bene.
Voglio bene a te. → Ti voglio bene.

c. *piacere a (qualcuno)*

Piacere a traduit le goût envers les choses ou les personnes.

EXEMPLES **Mi piace** il cinema.
Mi piacciono i romanzi gialli.
A Gianni **non piace** la scuola.
Le **piace** lo sport.
Non ci **piace** l'inverno.

Attention !

Le verbe « aimer » en français qu'on utilise pour exprimer un goût correspond en italien à l'expression *piacere (a)* que l'on peut littéralement traduire par « plaire à ». Par conséquent, ce qui était COD avec le verbe « aimer » en français devient sujet en italien.

EXEMPLE *J'aime le cinéma.*
→ Il cinema **mi piace**. / **Mi piace** il cinema.

Si le sujet est au pluriel, il faudra donc penser faire l'accord avec le verbe *piacere*.

EXEMPLE I supereroi italiani **mi piacciono**.
/ **Mi piacciono** i supereroi italiani.

De la même façon, ce qui était sujet en français devient COI ou pronom COI en italien.

EXEMPLE *Marco aime les dessins animés.*
→ A Marco **piacciono** i cartoni animati.

3. L'expression de l'heure

Pour indiquer l'heure, on emploie l'auxiliaire être à la 3e personne du pluriel *sono* suivi de l'article défini féminin pluriel *le*.

Comme en français, les minutes peuvent s'ajouter *(Sono le otto e dieci)* ou se retrancher *(Sono le undici **meno** cinque)*.

EXEMPLES

Sono le otto.

Sono le dieci e dieci.

Sono le sette meno un quarto.

Sono le due e mezzo.

Sono le sei meno dieci.

Attention !

On dit cependant :

È l'una.
È mezzogiorno.
È mezzanotte.

4. Quelques expressions courantes

a. *la gente*

Pour traduire « les gens », on utilise le collectif *la gente*, toujours au singulier.

EXEMPLE **La gente** manifesta per strada.

b. *tutti*

Tutti correspond à l'expression « tout le monde », de même que *tutta la gente*.

EXEMPLES **Tutti** part**ono** in vacanza nel mese di agosto.
Tutta la gente part**e** in vacanza nel mese di agosto.

Attention !

Tutto il mondo
signifie le monde entier.

c. Les expressions impersonnelles

Après des expressions comme è *facile*, è *possibile*, è *vietato*, on n'ajoute pas la préposition *di* contrairement au français.

EXEMPLE È vietato (Ø) fare rumore.

IV. LES VERBES

1. Le présent de l'indicatif des verbes réguliers

a. La formation du présent

Le présent se forme sur le radical du verbe (l'infinitif du verbe auquel on a enlevé *-are*, *-ere*, *-ire*) auquel on ajoute les terminaisons suivantes :

Verbes en *-are* : *-o*, *-i*, *-a*, *-iamo*, *-ate*, *-ano*
Verbes en *-ere* : *-o*, *-i*, *-e*, *-iamo*, *-ete*, *-ono*
Verbes en *-ire* : *-o*, *-i*, *-e*, *-iamo*, *-ite*, *-ono*

b. Les verbes en *-ire*

Les verbes en *-ire* se conjuguant comme *finire* sont plus nombreux que ceux qui se conjuguent comme *partire* (*cf.* le tableau de conjugaison p. 120).

	capire	**dormire**
io	capisco	dormo
tu	capisci	dormi
lui / lei	capisce	dorme
noi	capiamo	dormiamo
voi	capite	dormite
loro	capiscono	dormono

EXEMPLES finire → capire, preferire, reagire, percepire…
partire → sentire, dormire, servire…

c. Les verbes pronominaux

Les verbes pronominaux en *-arsi*, *-ersi* et *-irsi* ont la même terminaison que les verbes en *-are*, *-ere* et *-ire* mais sont précédés du pronom réfléchi correspondant à la personne conjuguée.

EXEMPLE

	presentarsi
io	**mi** present**o**
tu	**ti** present**i**
lui / lei	**si** present**a**
noi	**ci** present**iamo**
voi	**vi** present**ate**
loro	**si** present**ano**

d. Les verbes en *-care* et *-gare*

Les verbes en *-care* et *-gare* prennent un *-h-* à la 2e personne du singulier et à la 1re personne du pluriel afin de conserver le son dur.

EXEMPLE

	praticare	**spiegare**
io	pratico	spiego
tu	prati**chi**	spie**ghi**
lui / lei	pratica	spiega
noi	prati**chiamo**	spie**ghiamo**
voi	praticate	spiegate
loro	praticano	spiegano

2. Les verbes réguliers

Présent de l'indicatif	1re conjugaison *parlare*	2e conjugaison *credere*	3e conjugaison 1re forme *partire*	3e conjugaison 2e forme *finire*
io	parl -o	cred -o	part -o	finisc -o
tu	parl -i	cred -i	part -i	finisc -i
lui / lei	parl -a	cred -e	part -e	finisc -e
noi	parl -iamo	cred -iamo	part -iamo	fin -iamo
voi	parl -ate	cred -ete	part -ite	fin -ite
loro	parl -ano	cred -ono	part -ono	finisc -ono

3. Les auxiliaires

Présent de l'indicatif	essere	avere
io	sono	ho
tu	sei	hai
lui / lei	è	ha
noi	siamo	abbiamo
voi	siete	avete
loro	sono	hanno

4. Les verbes irréguliers

a. Les verbes irréguliers en *-are*

Présent de l'indicatif	andare	dare	fare	stare
io	vado	do	faccio	sto
tu	vai	dai	fai	stai
lui / lei	va	dà	fa	sta
noi	andiamo	diamo	facciamo	stiamo
voi	andate	date	fate	state
loro	vanno	danno	fanno	stanno

b. Quelques autres verbes irréguliers

	bere	condurre	dire	dovere
io	bevo	conduco	dico	devo
tu	bevi	conduci	dici	devi
lui / lei	beve	conduce	dice	deve
noi	beviamo	conduciamo	diciamo	dobbiamo
voi	bevete	conducete	dite	dovete
loro	bevono	conducono	dicono	devono

	morire	parere	piacere	potere
io	muoio	paio	piaccio	posso
tu	muori	pari	piaci	puoi
lui / lei	muore	pare	piace	puo
noi	moriamo	paiamo	piacciamo	possiamo
voi	morite	parete	piacete	potete
loro	muoiono	paiono	piacciono	possono

Présent de l'indicatif	proporre	rimanere	riuscire	salire
io	propongo	rimango	riesco	salgo
tu	proponi	rimani	riesci	sali
lui / lei	propone	rimane	riesce	sale
noi	proponiamo	rimaniamo	riusciamo	saliamo
voi	proponete	rimanete	riuscite	salite
loro	propongono	rimangono	riescono	salgono

	sapere	scegliere	sedere	tacere
io	so	scelgo	siedo	taccio
tu	sai	scegli	siedi	taci
lui / lei	sa	sceglie	siede	tace
noi	sappiamo	scegliamo	sediamo	tacciamo
voi	sapete	scegliete	sedete	tacete
loro	sanno	scelgono	siedono	tacciono

Présent de l'indicatif	tenere	togliere	tradurre	udire
io	tengo	tolgo	traduco	odo
tu	tieni	togli	traduci	odi
lui / lei	tiene	toglie	traduce	ode
noi	teniamo	togliamo	traduciamo	udiamo
voi	tenete	togliete	traducete	udite
loro	tengono	tolgono	traducono	odono

	uscire	venire	volere
io	esco	vengo	voglio
tu	esci	vieni	vuoi
lui / lei	esce	viene	vuole
noi	usciamo	veniamo	vogliamo
voi	uscite	venite	volete
loro	escono	vengono	vogliono

V. GRAMMATICA ATTIVA

Unità 1

Quand on se rend en Italie, on peut lire sur différents types de panneaux de nombreux mots ou noms indiquant des villes, des rues, des places, des magasins, des restaurants, etc. Si l'on veut demander une information, il est important de bien les prononcer pour se faire comprendre !

▸ Entraîne-toi à prononcer correctement les mots indiqués dans les photos suivantes.

1

2

3

4

Unità 2

Que ce soit en français ou en italien, les mots sont obligatoirement du genre masculin ou féminin (il n'y a pas le genre neutre comme en anglais).
On a l'habitude de l'identifier immédiatement.

▸ Décris ce que tu vois dans les photos suivantes en utilisant l'article indéfini approprié. Tu peux commencer ta phrase par « *Vedo*... ».

2

3

1

4

Unità 3

Parler avec quelqu'un, c'est souvent décrire des événements auxquels on a assisté.

◗ Décris cette photo d'une cérémonie d'ouverture d'un championnat européen junior d'athlétisme (2015) en indiquant la nationalité des participants et en attribuant des prénoms, de ton choix, aux jeunes sportifs.

EXEMPLE La ragazza italiana si chiama Raffaella.

Unità 4

Si tu rencontres un correspondant italien ou si tu as l'occasion de parler avec un italien de ton âge, vous parlerez très certainement de vos journées au collège…

◗ Décris les activités de ces collégiens en précisant l'horaire probable et les objets présents dans les photos suivantes. Utilise, pour cela, la traduction de « il y a ».

❶

❷

❺

❸

❹

Unità 5

Parler de ses passions, de ses centres d'intérêt fait partie des situations de communication les plus fréquentes, notamment en vacances avec ses amis.

Décris les activités pratiquées dans les photos ci-dessous. Précise ensuite lesquelles tu préfères et pourquoi.

1

2

3

4

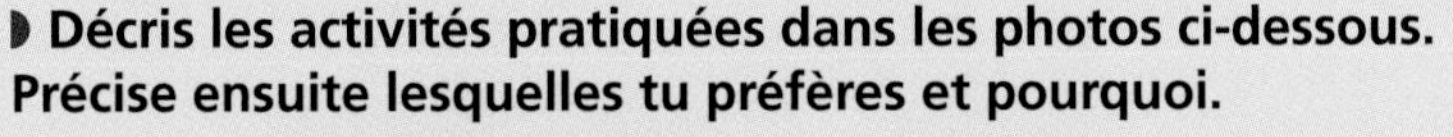

5

Unità 6

Lorsque l'on parle de quelqu'un, on ressent toujours le besoin de le décrire physiquement et de donner des détails sur son apparence.

Imagine que tu as rencontré ces personnages en rentrant du collège. Décris-les (leur déguisement et leur physique).

Italien-Français

adj. = adjectif
adv. = adverbe
expr. = expression
interj. = interjection
n.f. = nom féminin
n.m. = nom masculin
pl. = pluriel
prép. = préposition
pron. = pronom

A

abilità (n.f.) *capacité*
abitare (v.) *habiter*
accendere (v.) *allumer*
accendino (n.m.) *briquet*
adorare (v.) *adorer*
aereo (n.m.) *avion*
affannoso (adj.) *haletant*
aggettivo (n.m.) *adjectif*
agosto (n.m.) *août*
aiutare (v.) *aider*
aiuto (n.f.) *aide*
ala (n.f.) *aile*
albero (n.m.) *arbre*
alfabeto (n.m.) *alphabet*
allenatore (n.m.) *entraîneur*
allungato (adj.) *allongé*
altezza (n.f.) *hauteur*
altissimo (adj.) *très haut*
alto (adj.) *grand (taille)*
alunna (n.f.) *élève*
alunno (n.m.) *élève*
amica (n.f.) *amie*
amico (n.m.) *ami*
andare (v.) *aller*
andare pazzo per (expr.) *être fou de*
angolo (n.m.) *angle*
animale (n.m.) *animal*
anno (n.f.) *année*
antico (adj.) *ancien*
antologia (n.f.) *étude de textes littéraires*
aprile (n.m.) *avril*
aprire (v.) *ouvrir*
arancione (adj.) *orange*
arma (n.f.) *arme*
arrivederci (interj.) *au revoir*
arrivo (n.m.) *arrivée*
artista (n.m., n.f.) *artiste*
artistico (adj.) *artistique*
ascoltare (v.) *écouter*
assente (adj.) *absent*
asso (n.m.) *as*
astuccio (n.m.) *trousse*
attore (n.m.) *acteur*
attrice (n.f.) *actrice*
aula (n.f.) *salle de classe*
autunno (n.m.) *automne*
avere (v.) *avoir*
azzurro (adj.) *bleu*

B

bacio (n.m.) *baiser*
baffi (n.m. pl.) *moustaches*
bagnino (n.m.) *maître-nageur*
bambina (n.f.) *petite fille*
bambino (n.m.) *petit garçon*
banco (n.m.) *banc (d'école)*
bandiera (n.f.) *drapeau*
bar (n.m.) *bar*
barba (n.f.) *barbe*
barca (n.f.) *bateau*
basso (adj.) *petit (taille)*
battaglia (n.f.) *bataille*
bellezza (n.f.) *beauté*
bello (adj.) *beau*
bere (v.) *boire*
bianchetto (n.m.) *correcteur blanc*

bianco (adj.)	*blanc*
biblioteca (n.f.)	*bibliothèque*
bici (n.f.)	*vélo*
biondo (adj.)	*blond*
blu (adj.)	*bleu foncé*
bocca (n.f.)	*bouche*
braccio (n.m.)	*bras*
brutto (adj.)	*laid*
bugiardo (n.m.)	*menteur*
buongiorno (interj.)	*bonjour*

caccia (n.f.)	*chasse*
caffè (n.m.)	*café*
calcio (n.m.)	*football*
caldo (adj.)	*chaud*
calvo (adj.)	*chauve*
calza (n.f.)	*chaussette*
cambiare (v.)	*changer*
camera (n.f.)	*chambre*
camino (n.m.)	*cheminée*
camminare (v.)	*marcher*
canale (n.m.)	*canal*
cantante (n.m.)	*chanteur*
cantare (v.)	*chanter*
cantante (n.f.)	*chanteuse*
canzone (n.f.)	*chanson*
capello (n.m.)	*cheveu*
capire (v.)	*comprendre*
capitale (n.f.)	*capitale*
capoluogo (n.m.)	*chef-lieu*
cappa (n.f.)	*cape*
cappello (n.m.)	*chapeau*
Carnevale (n.m.)	*Carnaval*
carro (n.m.)	*char*
cartina (n.f.)	*carte*
cartolina (n.f.)	*carte postale*
cartone animato (n.m.)	*dessin animé*
casa (n.f.)	*maison*
castano (adj.)	*châtain*
catena di montagne (n.f.)	*chaîne de montagnes*
cattedra (n.f.)	*bureau (du professeur)*
cavallo (n.m.)	*cheval*
centro (n.m.)	*centre*
cercare (v.)	*chercher*
chattare (v.)	*chatter*
chiamare (v.)	*appeler*
chiesa (n.f.)	*église*
chitarra (n.f.)	*guitare*
chiudere (v.)	*fermer*
ciao (interj.)	*salut*
ciclista (n.m.)	*cycliste*
cifra (n.f.)	*chiffre*
cinema (n.m.)	*cinéma*
città (n.f.)	*ville*
clima (n.m.)	*climat*
cognome (n.m.)	*nom de famille*
collina (n.f.)	*colline*
collo (n.m.)	*cou*
colore (n.m.)	*couleur*
cominciare (v.)	*commencer*
compagna (n. f.)	*camarade*
comparire (v.)	*apparaître*
compagno (n.m.)	*camarade*
compasso (n.m.)	*compas*
compitare (v.)	*épeler*
compito (n.m.)	*devoir*
comporre (v.)	*composer*
computer (n.m.)	*ordinateur*
comune (n.f.)	*commune*
concerto (n.m.)	*concert*
condurre (v.)	*conduire*
confine (n.m.)	*frontière*
continente (n.m.)	*continent*
copiatore (n.m.)	*copieur*
coriandoli (n.m.pl.)	*confettis*
corpo (n.m.)	*corps*
correggere (v.)	*corriger*
corretto (adj.)	*correct*
corridore (n.m.)	*coureur*
cortile (n.m.)	*cour*
corto (adj.)	*court*
costa (n.f.)	*côte*
costume (n.m.)	*costume*
cruciverba (n.m.)	*mots croisés*
cugina (n.f.)	*cousine*
cugino (n.m.)	*cousin*
custode (n.m.)	*gardien*

D

danza (n.f.)	*danse*
dare (v.)	*donner*
dea (n.f.)	*déesse*
deglutire (v.)	*déglutir*
dentista (n.m.)	*dentiste*
detestare (v.)	*détester*
dicembre (n.m.)	*décembre*
difensore (n.m.)	*défenseur*
difetto (n.m.)	*défaut*
difficile (adj.)	*difficile*
dio (n.m.)	*dieu*
dipingere (v.)	*peindre*
dire (v.)	*dire*
disegnare (v.)	*dessiner*
disegnatore (n.m.)	*dessinateur*
disegno (n.m.)	*dessin*
disperato (n.m.)	*désespéré*
dito (n.m.)	*doigt*
diverso (adj.)	*différent*
divertimento (n.m.)	*divertissement*
divinità (n.f.)	*divinité*
domanda (n.f.)	*question*
domenica (n.f.)	*dimanche*
donna (n.f.)	*femme*
dopo (adv.)	*après*
dottore (n.m.)	*docteur*
dovere (v.)	*devoir*
dubbio (n.m.)	*doute*

E

educazione fisica (n.f.)	*éducation physique et sportive*
educazione tecnica (n.f.)	*enseignement technologique*
elefante (n.m.)	*éléphant*
elenco (n.m.)	*liste*
eroe (n.m.)	*héros*
esercizio (n.m.)	*exercice*
espressione (n.f.)	*expression*
essere (v.)	*être*
Est (n.m.)	*Est*
estate (n.m.)	*été*
esterno (n.m.)	*extéreiur*
esteso (adj.)	*vaste*
estintore (n.m.)	*extincteur*
età (n.f. inv.)	*âge*
europeo (adj.)	*européen*
evidenziatore (n.m.)	*surligneur*

F

falso (adj.)	*faux*
famiglia (n.f.)	*famille*
famoso (adj.)	*célèbre*
fare (v.)	*faire*
fare shopping (v.)	*faire du shopping*
farmacia (n.f.)	*pharmacie*
faticoso (adj.)	*fatigant*
febbraio (n.m.)	*février*
festa (n.f.)	*fête*
figlia (n.f.)	*fille (enfant de)*
figlio (n.m.)	*fils*
filastrocca (n.f.)	*comptine*
finestra (n.f.)	*fenêtre*
fiore (n.m.)	*fleur*
fisico (adj.)	*physique*
fiume (n.m.)	*fleuve*
foglio (n.m.)	*feuille*
fontana (n.f.)	*fontaine*
forza (n.f.)	*force*
francese (adj.)	*français*
Francia (n.f.)	*France*
frase (n.f.)	*phrase*
fratellastro (n.m.)	*demi-frère*
fratello (n.m.)	*frère*
freddo (adj.)	*froid*
fronte (viso) (n.f.)	*front*
fumetto (n. m.)	*bande-dessinée*
fuoco (n.m.)	*feu*

G

gamba (n.f.)	*jambe*
genere (n.m.)	*genre*
geniale (adj.)	*génial*

gennaio (n.m.) *janvier*
geografia (n.f.) *géographie*
geometria (n.f.) *géométrie*
Germania (n.f.) *Allemagne*
gesso (n.m.) *craie*
giallo (adj.) *jaune*
ginocchio (n.m.) *genou*
giocare (v.) *jouer*
gioco (n.m.) *jeu*
gioco di carte (n.m.) *jeu de cartes*
giornata (n.f.) *journée*
giorno (n.m.) *jour*
giovane (adj.) *jeune*
giovedì (n.m.) *jeudi*
giraffa (n.f.) *girafe*
giro (n.m.) *tour*
giusto (adj.) *juste*
giugno (n.m.) *juin*
golfo (n.m.) *golf*
grammatica (n.f.) *grammaire*
grasso (adj.) *gras*
grattacielo (n.m.) *gratte-ciel*
Grecia (n.f.) *Grèce*
greco (adj.) *grec*
gridare (v.) *crier*
grido (n.m.) *cri*
grigio (adj.) *gris*
gruppo (n.m.) *groupe*
guardare (v.) *regarder*
guidare (v.) *conduire (une voiture)*

illustrazione (n.f.) *illustration*
imparare (v.) *apprendre*
incrocio (n.m.) *croisement*
indovinare (v.) *deviner*
indovinello (n.m.) *devinette*
Inghilterra (n.f.) *Angleterre*
inglese (adj.) *anglais*
innamorato (n.m.) *amoureux*
inseparabile (adj.) *inséparable*
insieme (adv.) *ensemble*
interno (n.m.) *intérieur*
intervallo (n.m.) *récréation*
intervistare (v.) *interviewer*
inverno (n.m.) *hiver*
invicibile (adj.) *invincible*
invidiare (v.) *envier*
iperattivo (adj.) *hyper-actif*
isola (n.f.) *île*
Italia (n.f.) *Italie*
italiano (adj.) *italien*

lago (n.m.) *lac*
lasciare (v.) *laisser*
lavagna (n.f.) *tableau noir*
lavagna interattiva multimediale (n.f.) *tableau blanc interactif*
lavoro (n.m.) *travail*
leggere (v.) *lire*
leone (n.m.) *lion*
letteratura (n.f.) *littérature*
lettura (n.f.) *lecture*
lezione (n.f.) *leçon*
libero (adj.) *libre*
libro (n.m.) *livre*
linea (n.f.) *ligne*
lingua (n.f.) *langue*
liscio (adj.) *lisse, raide*
lontano da (adj.) *loin de*
lotta (n.f.) *lutte*
luglio (n.m.) *juillet*
lunedì (n.m.) *lundi*
lunghezza (n.f.) *longueur*
lungo (adj.) *long*
luogo (n.m.) *lieu*

madre (n.f.) *mère*
maggio (n.m.) *mai*
magro (adj.) *maigre*
mamma (n.f.) *maman*
mangiare (v.) *manger*

mano (n.f.) *main*
manubrio (n.m.) *guidon*
mappa (n.f.) *carte, plan*
mappamondo (n.m.) *mappemonde*
marca (n.f.) *marque*
mare (n.m.) *mer*
marito (n.m.) *mari*
marrone (adj.) *marron*
martedì (n.m.) *mardi*
marzo (n.m.) *mars*
maschera (n.f.) *masque*
matematica (n.f.) *mathématiques*
materno (adj.) *maternel*
matita (n.f.) *crayon*
matrigna (n.f.) *belle-mère*
mattino (n.m.) *matin*
mediterraneo (v.) *méditerranéen*
membro (n.m.) *membre*
mensa (n.f.) *cantine*
mentire (v.) *mentir*
mento (n.m.) *menton*
mercoledì (n.m.) *mercredi*
mese (n.m.) *mois*
messaggio (n.m.) *message*
metà (n.f.) *moitié*
mettere (v.) *mettre*
mezzo (adj.) *demi*
mezzanotte (n.f.) *minuit*
mezzogiorno (n.m.) *midi*
mimare (v.) *mimer*
mimo (n.m.) *mime*
mitologia (n.f.) *mythologie*
mitologico (adj.) *mythologique*
moda (n.f.) *mode*
moglie (n.f.) *femme (épouse)*
momento (n.m.) *moment*
montagna (n.f.) *montagne*
monte (n.m.) *mont*
monumento (n.m.) *monument*
morire (v.) *mourir*
motorino (n.m.) *scooter*
municipio (n.m.) *mairie*
musculoso (adj.) *musclé*
museo (n.m.) *musée*
musica (n.f.) *musique*
musicista (n.f.) *musicienne*
musicista (n.m.) *musicien*

N

nano (n.m.) *nain*
nascere (v.) *naître*
nascita (n.f.) *naissance*
naso (n.m.) *nez*
Natale (n.m.) *Noël*
navigare (su Internet) (v.) *surfer (sur le net)*
nazionalità (n.f.) *nationalité*
nazione (n.f.) *nation*
negozio (n.m.) *magasin*
nero (adj.) *noir*
nervoso (adj.) *nerveux*
neve (n.f.) *neige*
nido (n.m.) *nid*
no (adv.) *non*
nome (n.m.) *nom, prénom*
nonna (n.f.) *grand-mère*
nonno (n.m.) *grand-père*
Nord (n.m.) *Nord*
notte (n.f.) *nuit*
novembre (n.m.) *novembre*
nuoto (n.m.) *natation*

O

occhio (n.m.) *œil*
offrire (v.) *offrir*
oggi (adv.) *aujourd'hui*
oliva (n.f.) *olive*
ora (n.f.) *heure*
ora (adv.) *maintenant*
orario (n.m.) *emploi du temps*
orecchio (n.m.) *oreille*
organizazzione (n.f.) *organisation*
osservare (v.) *observer*
ottobre (n.m.) *octobre*
Ovest (n.m.) *Ouest*

padre (n.m.)	*père*
paese (n.m.)	*pays*
pagella (n.f.)	*bulletin scolaire*
pagliaccio (n.m.)	*pitre*
palazzo (n.m.)	*immeuble*
palestra (n.f.)	*gymnase*
palla (n.f.)	*balle*
pallone (n.m.)	*ballon*
pancia (n.f.)	*ventre*
panchina (s.f.)	*banc*
panetteria (n.f.)	*boulangerie*
panettiera (n.f.)	*boulangère*
parata (n.f.)	*parade*
parlare (v.)	*parler*
parola (n.f.)	*mot*
parola d'ordine (n.f.)	*mot de passe*
Pasqua (n.f.)	*Pâques*
passatempo (n.m.)	*passe-temps*
paterno (adj.)	*paternel*
patrigno (n.m.)	*beau-père*
pazzo (n.m.)	*fou*
pedale (n.m.)	*pédale*
pelle (n.f.)	*peau*
pelo (n.m.)	*poil*
peloso (adj.)	*poilu*
penisola (n.f.)	*péninsule*
penna (n.f.)	*stylo, feutre*
per favore (interj.)	*s'il vous / te plaît*
percorso (n.m.)	*parcours*
pericolo (n.m.)	*danger*
periferia (n.f.)	*banlieue*
personaggio (n.m.)	*personnage*
pesca (n.f.)	*pêche*
pettegolo (n.m.)	*mauvaise langue*
piacere (v.)	*plaire*
pianoforte (n.m.)	*piano*
pianura (n.f.)	*plaine*
piazza (n.f.)	*place*
piede (n.m.)	*pied*
piscina (n.f.)	*piscine*
pittura (n.f.)	*peinture*
planisfero (n.m.)	*planisphère*
pomeriggio (n.m.)	*après-midi*
ponte (n.m.)	*pont*
Portogallo (n.m.)	*Portugal*
portoghese (adj.)	*Portugais*
potente (adj.)	*puissant*
potere (v.)	*pouvoir*
praticare (v.)	*pratiquer*
preferire (v.)	*préférer*
preferito (adj.)	*préféré*
preparare (v.)	*préparer*
presentare (v.)	*présenter*
presepe (n.m.)	*crèche*
presto (adv.)	*tôt*
prezzo (n.m.)	*prix*
primavera (n.f.)	*printemps*
professore (n.m.)	*professeur*
professoressa (n.f.)	*professeure*
progetto (n.m.)	*projet*
proiettore (n.m.)	*projecteur*
pronto (adj.)	*prêt*
Pronto? (interj.)	*Allo ?*
pronuncia (n.f.)	*prononciation*
pronunciare (v.)	*prononcer*
prossimo (adj.)	*prochain*
punto (n.m.)	*point*
provincia (n.f.)	*province*

quaderno (n.m.)	*cahier*
quadro (n.m.)	*tableau (art)*
qualcosa (pron.)	*quelque chose*
quartiere (n.m.)	*quartier*

rabbia (n.f.)	*colère*
ragazza (n.f.)	*fille*
ragazzo (n.m.)	*garçon*
recitare (v.)	*réciter*
recitare (in un film) (v.)	*jouer (dans un film)*
regalo (n.m.)	*cadeau*
regione (n.f.)	*région*
regista (n.m.)	*metteur en scène*

religione (n.f.) *religion*
restare (v.) *rester*
rete (n.f.) *réseau*
ribelle (adj.) *rebelle*
riccio (adj.) *frisé*
ricopiare (v.) *recopier*
ricordare (v.) *rappeler*
riga (n.f.) *règle*
rimanere (v.) *rester*
rinunciare (v.) *renoncer*
rispondere (v.) *répondre*
risposta (n.f.) *réponse*
ripetere (v.) *répéter, redoubler*
ritardo (n.m.) *retard*
ritratto (n.m.) *portrait*
riuscire (v.) *réussir*
rosa (adj.) *rose*
rosa dei venti (n.f.) *rose des vents*
rosso (adj.) *rouge*
ruota (n.f.) *roue*

S

sabato (n.m.) *samedi*
salire (v.) *monter*
sapere (v.) *savoir*
sbagliarsi (v.) *se tromper*
sbarcare (v.) *débarquer*
scegliere (v.) *choisir*
scena (n.f.) *scène*
schermo (n.m.) *écran*
scherzo (n.m.) *blague, plaisanterie*
sci (n.m.) *ski*
sciare (v.) *skier*
scienza (n.f.) *science*
scioglilingua (n.m.) *virelangue*
scolastico (adj.) *scolaire*
scopa (n.f.) *balai*
scoprire (v.) *découvrir*
scrivere (v.) *écrire*
scuola (n.f.) *école*
secchione (n.m.) *élève très travailleur*
sedersi (v.) *s'asseoir*
sedia (n.f.) *siège*
seduto (adj.) *assis*
segnare (v.) *noter*
sella (n.f.) *selle*
semestre (n.m.) *semestre*
sempre (adv.) *toujours*
sentire (v.) *sentir*
senza (prép.) *sans*
sera (n.f.) *soir*
serpente (n.m.) *serpent*
sete (n.f.) *soif*
settembre (n.m.) *septembre*
settimana (n.f.) *semaine*
Sfinge (n.f.) *Sphinx*
sfilata (n.f.) *défilé*
sí (adv.) *oui*
silenzio (n.m.) *silence*
simpatico (adj.) *sympathique*
sguardo (n.m.) *regard*
snello (adj.) *mince*
sole (n.m.) *soleil*
solfeggio (n.m.) *solfège*
sonno (n.m.) *sommeil*
sorellastra (n.f.) *demi-sœur*
sorella (n.f.) *sœur*
Spagna (n.f.) *Espagne*
spagnolo (adj.) *espagnol*
specialità (n.f.) *spécialité*
spettacolo (n.m.) *spectacle*
spia (n.f.) *espion*
sportivo (n.m.) *sportif*
squadra (n.f.) *équipe*
squadra (n.f.) *équerre*
squalo (n.m.) *requin*
stadio (n.m.) *stade*
stagione (n.f.) *saison*
staordinario (adj.) *extraordinaire*
stare (v.) *être, se trouver*
Stato (n.m.) *État*
stella (n.f.) *étoile*
stesso (adj.) *même*
stivale (n.m.) *botte*
storia (n.f.) *histoire*
strada (n.f.) *route*
studioso (n.m.) *studieux*
stupido (adj.) *stupide*

Sud (n.m.)	*Sud*
suonare (uno strumento) (v.)	*jouer (d'un instrument)*
suono (n.m.)	*son*
supercriminale (n.m.)	*super-vilain*
supereroe (n.m.)	*super-héros*
superpotere (n.m.)	*super-pouvoir*
svampito (n.m.)	*étourdi*

T

tabella (n.f.)	*tableau*
tagliare (v.)	*couper*
tappa (n.f.)	*étape*
tardi (adv.)	*tard*
tazza (n.f.)	*tasse*
teatro (n.m.)	*théâtre*
tedesco (adj.)	*allemand*
telaio (n.m.)	*cadre*
telefono (n.m.)	*téléphone*
temperato (adj.)	*tempéré*
tempio (n.m.)	*temple*
tenere (v.)	*tenir*
terrazza (n.f.)	*terrasse*
territorio (n.m.)	*territoire*
testa (n.f.)	*tête*
testo (n.m.)	*texte*
tigre (n.f.)	*tigre*
titolo (n.m.)	*titre*
tocca a te! (expr.)	*à ton tour!*
tornare (v.)	*retourner*
torre (n.f.)	*tour*
torto (n.m.)	*tort*
tradurre (v.)	*traduire*
travestirsi (v.)	*se déguiser*
trimestre (n.m.)	*trimestre*
tronco (n.m.)	*tronc*
turista (n.m., n.f.)	*touriste*

udire (v.)	*entendre*
ultimo (adj.)	*dernier*
unico (adj.)	*unique*
uomo (n.m.)	*homme*
uovo (n.m.)	*œuf*
usare (v.)	*utiliser*
uscire (v.)	*sortir*

valere (v.)	*valoir*
vanitoso (n.m.)	*vaniteux*
vecchio (n.m.)	*vieux*
vedere (v.)	*voir*
vendetta (n.f.)	*vengeance*
venerdì (n.m.)	*vendredi*
venire (v.)	*venir*
verde (adj.)	*vert*
vero (adj.)	*vrai*
via (n.f.)	*rue*
viaggiare (v.)	*voyager*
viaggio (n.m.)	*voyage*
vicino a (adj.)	*près de*
videogioco (n.m.)	*jeu vidéo*
villaggio (n.m.)	*village*
vincere (v.)	*vaincre*
viola (adj. inv.)	*violet*
visita (n.f.)	*visite*
vita (n.f.)	*vie*
vivere (v.)	*vivre*
voglia (n.f.)	*envie*
volere (v.)	*vouloir*
volta (n.f.)	*fois*
volto (n.m.)	*visage*
voto (n.m.)	*note*
vulcano (n.m.)	*volcan*

zaino (n.m.)	*sac à dos*
zampa (n.f.)	*patte*
zebra (n.f.)	*zèbre*
zia (n.f.)	*tante*
zio (n.m.)	*oncle*
Zitto! (interj.)	*Tais-toi!*
zoo (n.m.)	*zoo*

Français-Italien

à ton tour ! *tocca a te!* (expr.)
absent *assente* (adj.)
acteur *attore* (n.m.)
actrice *attrice* (n.f.)
adjectif *aggettivo* (n.m.)
adorer *adorare* (v.)
âge *età* (n.f. inv.)
aide *aiuto* (n.f.)
aider *aiutare* (v.)
aile *ala* (n.f.)
Allemagne *Germania* (n.f.)
allemand *tedesco* (adj.)
aller *andare* (v.)
Allo ? *Pronto?* (interj.)
allongé *allungato* (adj.)
allumer *accendere* (v.)
alphabet *alfabeto* (n.m.)
ami *amico* (n.m.)
amie *amica* (n.f.)
amoureux *innamorato* (n.m.)
ancien *antico* (adj.)
anglais *inglese* (adj.)
angle *angolo* (n.m.)
Angleterre *Inghilterra* (n.f.)
animal *animale* (n.m.)
année *anno* (n.f.)
août *agosto* (n.m.)
apparaître *comparire* (v.)
appeler *chiamare* (v.)
apprendre *imparare* (v.)
après *dopo* (adv.)
après-midi *pomeriggio* (n.m.)
arbre *albero* (n.m.)
arme *arma* (n.f.)
arrivée *arrivo* (n.m.)
artiste *artista* (n.m., n.f.)
artistique *artistico* (adj.)
as *asso* (n.m.)
assis *seduto* (adj.)
au revoir *arrivederci* (interj.)
aujourd'hui *oggi* (adv.)
automne *autunno* (n.m.)
avec *con* (adv.)
avion *aereo* (n.m.)
avoir *avere* (v.)
avril *aprile* (n.m.)

B

baiser *bacio* (n.m.)
balai *scopa* (n.f.)
balle *palla* (n.f.)
ballon *pallone* (n.m.)
banc (d'école) *banco* (n.m.)
banc *panchina* (n.f.)
bande-dessinée *fumetto* (n. m.)
banlieue *periferia* (n.f.)
bar *bar* (n.m.)
barbe *barba* (n.f.)
bataille *battaglia* (n.f.)
bateau *barca* (n.f.)
beau *bello* (adj.)
beau-père *patrigno* (n.m.)
beauté *bellezza* (n.f.)
belle-mère *matrigna* (n.f.)
bibliothèque *biblioteca* (n.f.)
blague *scherzo* (n.m.)
blanc *bianco* (adj.)
bleu *azzurro* (adj.)
bleu foncé *blu* (adj.)
blond *biondo* (adj.)

boire *bere* (v.)
bonjour *buongiorno* (interj.)
botte *stivale* (n.m.)
bouche *bocca* (n.f.)
boulangère *panettiera* (n.f.)
boulangerie *panetteria* (n.m.)
bras *braccio* (n.m.)
briquet *accendino* (n.m.)
bulletin scolaire *pagella* (n.f.)
bureau (du professeur) *cattedra* (n.f.)

cadeau *regalo* (n.m.)
cadre (vélo) *telaio* (n.m.)
café *caffè* (n.m.)
cahier *quaderno* (n.m.)
camarade *compagna* (n. f.)
camarade *compagno* (n.m.)
canal *canale* (n.m.)
cantine *mensa* (n.f.)
capacité *abilità* (n.f.)
cape *cappa* (n.f.)
capitale *capitale* (n.f.)
Carnaval *Carnevale* (n.m.)
carte *cartina, mappa* (n.f.)
carte postale *cartolina* (n.f.)
célèbre *famoso* (adj.)
centre *centro* (n.m.)
chaîne de montagnes *catena di montagne* (n.f.)
chambre *camera* (n.f.)
changer *cambiare* (v.)
chanson *canzone* (n.f.)
chanter *cantare* (v.)
chanteur *cantante* (n.m.)
chanteuse *cantante* (n.f.)
chapeau *cappello* (n.m.)
char *carro* (n.m.)
chasse *caccia* (n.f.)
châtain *castano* (adj.)
chatter *chattare* (v.)
chaud *caldo* (adj.)
chaussette *calza* (n.f.)
chauve *calvo* (adj.)
chef-lieu *capoluogo* (n.m.)
cheminée *camino* (n.m.)
chercher *cercare* (v.)
cheval *cavallo* (n.m.)
cheveu *capello* (n.m.)
chiffre *cifra* (n.f.)
choisir *scegliere* (v.)
cinéma *cinema* (n.m.)
climat *clima* (n.m.)
colère *rabbia* (n.f.)
colline *collina* (n.f.)
commencer *cominciare* (v.)
commune *comune* (n.m.)
compas *compasso* (n.m.)
composer *comporre* (v.)
comprendre *capire* (v.)
comptine *filastrocca* (n.f.)
concert *concerto* (n.m.)
conduite (une voiture) *guidare* (v.)
conduire *condurre* (v.)
confettis *coriandoli* (n.m.pl.)
continent *continente* (n.m.)
copieur *copiatore* (n.m.)
corps *corpo* (n.m.)
correct *corretto* (adj.)
correcteur blanc *bianchetto* (n.m.)
corriger *correggere* (v.)
costume *costume* (n.m.)
côte *costa* (n.f.)
cou *collo* (n.m.)
couleur *colore* (n.m.)
couper *tagliare* (v.)
cour *cortile* (n.m.)
coureur *corridore* (n.m.)
court *corto* (adj.)
cousin *cugino* (n.m.)
cousine *cugina* (n.f.)
craie *gesso* (n.m.)
crayon *matita* (n.f.)
crèche *presepe* (n.m.)
cri *grido* (n.m.)
crier *gridare* (v.)
croisement *incrocio* (n.m.)
cycliste *ciclista* (n.m.)

danger *pericolo* (n.m.)
danse *danza* (n.f.)

débarquer *sbarcare* (v.)
décembre *dicembre* (n.m.)
découvrir *scoprire* (v.)
déesse *dea* (n.f.)
défaut *difetto* (n.m.)
défilé *sfilata* (n.f.)
défenseur *difensore* (n.m.)
déglutir *deglutire* (v.)
se déguiser *traverstirsi* (v.)
demi *mezzo* (adj.)
demi-frère *fratellastro* (n.m.)
demi-sœur *sorellastra* (n.f.)
dentiste *dentista* (n.m.)
dernier *ultimo* (adj.)
désespéré *disperato* (n.m.)
dessin *disegno* (n.m.)
dessin animé *cartone animato* (n.m.)
dessinateur *disegnatore* (n.m.)
dessiner *disegnare* (v.)
détester *detestare* (v.)
deviner *indovinare* (v.)
devinette *indovinello* (n.m.)
devoir *compito* (n.m.)
devoir *dovere* (v.)
dieu *dio* (n.m.)
différent *diverso* (adj.)
difficile *difficile* (adj.)
dimanche *domenica* (n.f.)
dire *dire* (v.)
divertissement *divertimento* (n.m.)
divinité *divinità* (n.f.)
docteur *dottore* (n.m.)
doigt *dito* (n.m.)
donner *dare* (v.)
doute *dubbio* (n.m.)
drapeau *bandiera* (n.f.)

E

école *scuola* (n.f.)
écouter *ascoltare* (v.)
écran *schermo* (n.m.)
écrire *scrivere* (v.)
éducation physique et sportive *educazione fisica* (n.f.)
église *chiesa* (n.f.)
éléphant *elefante* (n.m.)
élève *alunna* (n.f.)
élève *alunno* (n.m.)
élève très travailleur *secchione* (n.m.)
emploi du temps *orario* (n.m.)
enseignement technologique *educazione tecnica* (n.f.)
ensemble *insieme* (adv.)
entendre *udire* (v.)
entraîneur *allenatore* (n.m.)
envie *voglia* (n.m.)
envier *invidiare* (v.)
épeler *compitare* (v.)
équerre *squadra* (n.f.)
équipe *squadra* (n.f.)
Espagne *Spagna* (n.f.)
espagnol *spagnolo* (adj.)
espion *spia* (n.f.)
Est *Est* (n.m.)
étape *tappa* (n.f.)
État *Stato* (n.m.)
été *estate* (n.m.)
étoile *stella* (n.f.)
étourdi *svampito* (n.m.)
être *essere* (aux.), *stare* (v.)
être fou de *andare pazzo per* (expr.)
étude de textes littéraires *antologia* (n.f.)
européen *europeo* (adj.)
exercice *esercizio* (n.m.)
expression *espressione* (n.f.)
extérieur *esterno* (n.m.)
extincteur *estintore* (n.m.)
extraordinaire *staordinario* (adj.)

F

faire *fare* (v.)
faire du shopping *fare shopping* (v.)
famille *famiglia* (n.f.)
fatigant *faticoso* (adj.)
faux *falso* (adj.)
femme *donna* (n.f.)
femme (épouse) *moglie* (n.f.)
fenêtre *finestra* (n.f.)

fermer *chiudere* (v.)
fête *festa* (n.f.)
feu *fuoco* (n.m.)
feuille *foglio* (n.m.)
feutre *penna* (n.f.)
février *febbraio* (n.m.)
fille (enfant de) *figlia* (n.f.)
fille *ragazza* (n.f.)
fils *figlio* (n.m.)
fleur *fiore* (n.m.)
fleuve *fiume* (n.m.)
fois *volta* (n.f.)
fontaine *fontana* (n.f.)
football *calcio* (n.m.)
force *forza* (n.f.)
fou *pazzo* (n.m.)
français *francese* (adj.)
France *Francia* (n.f.)
frère *fratello* (n.m.)
frisé *riccio* (adj.)
froid *freddo* (adj.)
front *fronte (viso)* (n.f.)
frontière *confine* (n.m.)

garçon *ragazzo* (n.m.)
gardien *custode* (n.m.)
génial *geniale* (adj.)
genou *ginocchio* (n.m.)
genre *genere* (n.m.)
géographie *geografia* (n.f.)
géométrie *geometria* (n.f.)
girafe *giraffa* (n.f.)
golf *golfo* (n.m.)
grammaire *grammatica* (n.f.)
grand (taille) *alto* (adj.)
grand-mère *nonna* (n.f.)
grand-père *nonno* (n.m.)
gras *grasso* (adj.)
gratte-ciel *grattacielo* (n.m.)
grec *greco* (adj.)
Grèce *Grecia* (n.f.)
gris *grigio* (adj.)
groupe *gruppo* (n.m.)
guidon *manubrio* (n.m.)
guitare *chitarra* (n.f.)
gymnase *palestra* (n.f.)

habiter *abitare* (v.)
haletant *affannoso* (adj.)
hauteur *altezza* (n.f.)
héros *eroe* (n.m.)
heure *ora* (n.f.)
histoire *storia* (n.f.)
hiver *inverno* (n.m.)
homme *uomo* (n.m.)
hyper-actif *iperattivo* (adj.)

île *isola* (n.f.)
illustration *illustrazione* (n.f.)
immeuble *palazzo* (n.m.)
inséparable *inseparabile* (adj.)
intérieur *interno* (n.m.)
interviewer *intervistare* (v.)
invincible *invicibile* (adj.)
Italie *Italia* (n.f.)
italien *italiano* (adj.)

jambe *gamba* (n.f.)
janvier *gennaio* (n.m.)
jaune *giallo* (adj.)
jeu *gioco* (n.m.)
jeu de cartes *gioco di carte* (n.m.)
jeu vidéo *videogioco* (n.m.)
jeudi *giovedì* (n.m.)
jeune *giovane* (adj.)
jouer *giocare* (v.)
jouer (dans un film) *recitare (in un film)* (v.)
jouer (d'un instrument) *suonare (uno strumento)* (v.)
jour *giorno* (n.m.)
journée *giornata* (n.f.)
juillet *luglio* (n.m.)
juin *giugno* (n.m.)
juste *giusto* (adj.)

L

lac *lago* (n.m.)
laid *brutto* (adj.)
laisser *lasciare* (v.)
langue *lingua* (n.f.)
leçon *lezione* (n.f.)
lecture *lettura* (n.f.)
libre *libero* (adj.)
lieu *luogo* (n.m.)
ligne *linea* (n.f.)
lion *leone* (n.m.)
lire *leggere* (v.)
lisse *liscio* (adj.)
liste *elenco* (n.m.)
littérature *letteratura* (n.f.)
livre *libro* (n.m.)
loin de *lontano da* (adj.)
long *lungo* (adj.)
longueur *lunghezza* (n.f.)
lundi *lunedì* (n.m.)
lutte *lotta* (n.f.)

M

magasin *negozio* (n.m.)
mai *maggio* (n.m.)
maigre *magro* (adj.)
main *mano* (n.f.)
maintenant *oggi* (adv.)
mairie *municipio* (n.m.)
maison *casa* (n.f.)
maître-nageur *bagnino* (n.m.)
maman *mamma* (n.f.)
manger *mangiare* (v.)
mappemonde *mappamondo* (n.m.)
marcher *camminare* (v.)
mardi *martedì* (n.m.)
mari *marito* (n.m.)
marque *marca* (n.f.)
marron *marrone* (adj.)
mars *marzo* (n.m.)
masque *maschera* (n.f.)
maternel *materno* (adj.)
mathématiques *matematica* (n.f.)
matin *mattino* (n.m.)
mauvaise langue *pettegolo* (adj.)
méditerranéen *mediterraneo* (v.)
membre *membro* (n.m.)
même *stesso* (adj.)
menteur *bugiardo* (n.m.)
mentir *mentire* (v.)
menton *mento* (n.m.)
mer *mare* (n.m.)
mercredi *mercoledì* (n.m.)
mère *madre* (n.f.)
message *messaggio* (n.m.)
metteur en scène *regista*(n.m.)
mettre *mettere* (v.)
midi *mezzogiorno* (n.m.)
mime *mimo* (n.m.)
mimer *mimare* (v.)
mince *snello* (adj.)
minuit *mezzanotte* (n.f.)
mode *moda* (n.f.)
mois *mese* (n.m.)
moitié *metà* (n.f.)
moment *momento* (n.m.)
mont *monte* (n.m.)
montagne *montagna* (n.f.)
monument *monumento* (n.m.)
mot *parola* (n.f.)
mot de passe *parola d'ordine* (n.f.)
mots croisés *cruciverba* (n.m.)
mourir *morire* (v.)
moustaches *baffi* (n.m. pl.)
musclé *musculoso* (adj.)
musée *museo* (n.m.)
musicien *musicista* (n.m.)
musicienne *musicista* (n.f.)
musique *musica* (n.f.)
mythologie *mitologia* (n.f.)
mythologique *mitologico* (adj.)

N

nain *nano* (n.m.)
naissance *nascita* (n.f.)
naître *nascere* (v.)
natation *nuoto* (n.m.)

nation *nazione* (n.f.)
nationalité *nazionalità* (n.f.)
neige *neve* (n.f.)
nerveux *nervoso* (adj.)
nez *naso* (n.m.)
nid *nido* (n.m.)
Noël *Natale* (n.m.)
noir *nero* (adj.)
nom *nome* (n.m.)
nom de famille *cognome* (n.m.)
non *no* (adv.)
Nord *Nord* (n.m.)
note *voto* (n.m.)
noter *segnare* (v.)
novembre *novembre* (n.m.)
nuit *notte* (n.f.)

observer *osservare* (v.)
octobre *ottobre* (n.m.)
œil *occhio* (n.m.)
œuf *uovo* (n.m.)
offrir *offrire* (v.)
olive *oliva* (n.f.)
oncle *zio* (n.m.)
orange *arancione* (adj.)
ordinateur *computer* (n.m.)
oreille *orecchio* (n.m.)
organisation *organizazzione* (n.f.)
Ouest *Ovest* (n.m.)
oui *sí* (adv.)
ouvrir *aprire* (v.)

P

Pâques *Pasqua* (n.f.)
parade *parata* (n.f.)
parcours *percorso* (n.m.)
parler *parlare* (v.)
passe-temps *passatempo* (n.m.)
paternel *paterno* (adj.)
patte *zampa* (n.f.)
pays *paese* (n.m.)
peau *pelle* (n.f.)
pêche *pesca* (n.f.)
pédale *pedale* (n.m.)
peindre *dipingere* (v.)
peinture *pittura* (n.f.)
péninsule *penisola* (n.f.)
père *padre* (n.m.)
personnage *personaggio* (n.m.)
petit (taille) *basso* (adj.)
petit garçon *bambino* (n.m.)
petite fille *bambina* (n.f.)
pharmacie *farmacia* (n.f.)
phrase *frase* (n.f.)
physique *fisico* (adj.)
piano *pianoforte* (n.m.)
pied *piede* (n.m.)
piscine *piscina* (n.f.)
pitre *pagliaccio* (n.m.)
place *piazza* (n.f.)
plaine *pianura* (n.f.)
plaire *piacere* (v.)
plaisanterie *scherzo* (n.m.)
plan *mappa* (n.f.)
planisphère *planisfero* (n.m.)
poil *pelo* (n.m.)
poilu *peloso* (adj.)
point *punto* (n.m.)
pont *ponte* (n.m.)
portrait *ritratto* (n.m.)
Portugais *portoghese* (adj.)
Portugal *Portogallo* (n.m.)
pouvoir *potere* (v.)
pratiquer *praticare* (v.)
préféré *preferito* (adj.)
préférer *preferire* (v.)
prendre *prendere* (v.)
prénom *nome* (n.m.)
préparer *preparare* (v.)
près de *vicino a* (adj.)
présenter *presentare* (v.)
prêt *pronto* (adj.)
printemps *primavera* (n.f.)
prix *prezzo* (n.m.)
prochain *prossimo* (adj.)
professeur *professore* (n.m.)
professeure *professoressa* (n.f.)
projecteur *proiettore* (n.m.)

projet *progetto* (n.m.)
prononcer *pronunciare* (v.)
prononciation *pronuncia* (n.f.)
province *provincia* (n.f.)
puissant *potente* (adj.)

Q

quartier *quartiere* (n.m.)
quelque chose *qualcosa* (pron.)
question *domanda* (n.f.)

R

raide *liscio* (adj.)
rappeler *ricordare* (v.)
rebelle *ribelle* (adj.)
réciter *recitare* (v.)
recopier *ricopiare* (v.)
récréation *intervallo* (n.m.)
redoubler *ripetere* (v.)
regard *sguardo* (n.m.)
regarder *guardare* (v.)
région *regione* (n.f.)
règle *riga* (n.f.)
religion *religione* (n.f.)
renoncer *rinunciare* (v.)
répéter *ripetere* (v.)
répondre *rispondere* (v.)
réponse *risposta* (n.f.)
requin *squalo* (n.m.)
réseau *rete* (n.f.)
rester *restare* (v.)
retard *ritardo* (n.m.)
retourner *tornare* (v.)
réussir *riuscire* (v.)
rose *rosa* (adj.)
rose des vents *rosa dei venti* (n.f.)
roue *ruota* (n.f.)
rouge *rosso* (adj.)
route *strada* (n.f.)
rue *via* (n.f.)

S

s'asseoir *sedersi* (v.)
s'il vous / te plaît *per favore* (expr.)
sac à dos *zaino* (n.m.)
saison *stagione* (n.f.)
salle de classe *aula* (n.f.)
salut *ciao* (interj.)
samedi *sabato* (n.m.)
sans *senza* (prép.)
sauter *saltare* (v.)
savoir *sapere* (v.)
scène *scena* (n.f.)
science *scienza* (n.f.)
scolaire *scolastico* (adj.)
scooter *motorino* (n.m.)
selle *sella* (n.f.)
semaine *settimana* (n.f.)
semestre *semestre* (n.m.)
sentir *sentire* (v.)
septembre *settembre* (n.m.)
serpent *serpente* (n.m.)
siège *sedia* (n.f.)
silence *silenzio* (n.m.)
ski *sci* (n.m.)
skier *sciare* (v.)
sœur *sorella* (n.f.)
soif *sete* (n.f.)
soir *sera* (n.f.)
soleil *sole* (n.m.)
solfège *solfeggio* (n.m.)
sommeil *sonno* (n.m.)
son *suono* (n.m.)
sortir *uscire* (v.)
spécialité *specialità* (n.f.)
spectacle *spettacolo* (n.m.)
Sphinx *Sfinge* (n.f.)
sportif *sportivo* (n.m.)
stade *stadio* (n.m.)
studieux *studioso* (n.m.)
stupide *stupido* (adj.)
stylo *penna* (n.f.)
sud *sud* (n.m.)
super-héros *supereroe* (n.m.)
super-pouvoir *superpotere* (n.m.)
super-vilain *supercriminale* (n.m.)

surfer (sur le net) *navigare (su Internet)*
surligneur *evidenziatore* (n.m.)
sympathique *simpatico* (adj.)

tableau *tabella* (n.f.)
tableau (art) *quadro* (n.m.)
tableau blanc interactif *lavagna interattiva multimediale* (n.f.)
tableau noir *lavagna* (n.f.)
tais-toi! *zitto!* (interj.)
tante *zia* (n.f.)
tard *tardi* (adv.)
tasse *tazza* (n.f.)
téléphone *telefono* (n.m.)
tempéré *temperato* (adj.)
temple *tempio* (n.m.)
tenir *tenere* (v.)
terrasse *terrazza* (n.f.)
territoire *territorio* (n.m.)
tête *testa* (n.f.)
texte *testo* (n.m.)
théâtre *teatro* (n.m.)
tigre *tigre* (n.f.)
titre *titolo* (n.m.)
tort *torto* (n.m.)
tôt *presto* (adv.)
se tromper *sbagliarsi* (v.)
se trouver *stare* (v.)
toujours *sempre* (adv.)
tour *giro* (n.m.)
touriste *turista* (n.m., n.f.)
traduire *tradurre* (v.)
travail *lavoro* (n.m.)
très haut *altissimo* (adj.)
trimestre *trimestre* (n.m.)
tronc *tronco* (n.m.)
trousse *astuccio* (n.m.)

unique *unico* (adj.)
utiliser *usare* (v.)

vaincre *vincere* (v.)
valoir *valere* (v.)
vaniteux *vanitoso* (n.m.)
vélo *bici* (n.f.)
vendredi *venerdì* (n.m.)
vengeance *vendetta* (n.f.)
venir *venire* (v.)
ventre *pancia* (n.f.)
vert *verde* (adj.)
vie *vita* (n.f.)
vieux *vecchio* (n.m.)
village *villaggio* (n.m.)
ville *città* (n.f.)
violet *viola* (adj. inv.)
virelangue *scioglilingua* (n.m.)
visage *volto* (n.m.)
visite *visita* (n.f.)
voir *vedere* (v.)
vivre *vivere* (v.)
volcan *vulcano* (n.m.)
vouloir *volere* (v.)
voyage *viaggio* (n.m.)
voyager *viaggiare* (v.)
vrai *vero* (adj.)

zèbre *zebra* (n.f.)
zoo *zoo* (n.m.)

Crédits photographiques

Couverture : Jan Greune/LOOK-foto/GettyImages, Maica/GettyImages

Unità 1 p. 13 Ivan Nesterov/Alamy Stock Photo/Photo12, PathDoc/Shutterstock – **p. 15** AVAVA/Shutterstock, Oleg Znamenskiy/Shutterstock, Chayatorn Laorattanavech/Shutterstock, RioPatuca/Shutterstock, michelangeloop/Shuttertsock, Rolf_52/Shuttertsock, Sutocklite/Shuttertsock, Anna Omelchenko/Shuttertsock, Alliance/Shuttertsock – Tototeca/Leemage, Africa Studio/Shuttertsock, Chrupka/Shuttertsock, D.R., Mirelle/Shuttertsock, Viacheslav Lopatin/Shuttertsock, leonori/Shuttertsock – **p. 17** Bianchetti/Leemage, Ekaterina Iatcenko/Shuttertsock, Hetman Bohdan/Shuttertsock, D.R., Natali Glado/Shuttertsock, Gladskikh Tatiana/Shuttertsock, Ko Backpacko/Shuttertsock – **p. 19** SJ Travel Photo and Video/Shuttertsock, Onigiri Studio/Shuttertsock, www.BillionPhotos.com/Shuttertsock, JaroPienza/Shuttertsock – **p. 20** Yeko Photo Studio/Shuttertsock, Macrovector/Shuttertsock

Unità 2 p. 22 Karin Wabro/Shuttertsock, gorillaimages/Shuttertsock, Alexander Chaikin/Shuttertsock, Helen Kattai/Shuttertsock – **p. 23** Bryn Lennon/GettyImages – **p. 24** Volina/Shuttertsock – **p. 25** Alexander Cher/Shuttertsock, edella/Shuttertsock, Cortyn/Shuttertsock, Matteo Gabrielli/Shuttertsock – **p. 27** 3 et 14 BlueRingMedia/Shuttertsock, 11 gst/Shuttertsock – **p. 29** Volina/Shuttertsock, Artgraphixel/Shuttertsock – **p. 31** fond de carte Ynochka/Shuttertsock, Regione del Veneto www.veneto.to – **p. 32** Lukosz Szwaij/Shuttertsock, Rostislav Glinsky/Shuttertsock, Bildagentur Zoonar GmbH/Shuttertsock – **p. 33** aisa/Leemage, Rena Schlid/Shuttertsock – p.Tomacco/Shuttertsock, michal812/Shuttertsock

Unità 3 p. 35 Matej Kastelic/Shuttertsock, sianc/Shuttertsock – **p. 36** Pascal Saez/Alamy/Photo12, Adam Eastland Rome/Alamy/Photo12, Cro Magnon/Alamy/Photo12, observe.com/Shutterstock, John McKenna/Alamy/Photo12, robertharding/Alamy/Photo12, Iain Masterton/Alamy/Photo12, eye35.pix/Alamy/Photo12 – **p. 37** 1 et 2 Tetra Images/Alamy/Photo12, Nicholas Burningham/Alamy/Photo12, D.R., Shotshop GmbH/Alamy/Photo12 – **p. 38** Victor 1st/Shuttertsock, Yuliya Verovski/Shuttertsock, Alex Segre/Alamy Stock Photo/Photo12 – **p. 39** Julien Hekimian/Wire Image/GettyImages, Roberto serra/Iguana Press/GettyImages, Fototeca/Leemage, D.R., Pete Maclaine/Alamy/Photo12, Venturelli/GettyImages, Julien Tromeur/Shutterstock – **p. 43** JeniFoto/Shutterstock – **p. 44** Stefano Tinti/Shutterstock, Thodoris Tibilis/Shutterstock, MelleFrenchy/Shutterstock – **p. 45** Leonard Zhukovsky/Shutterstock, Featureflash/Shutterstock, Valerio Pennicino, GettyImages, Delius/Leemage, marcos Mesa Sam Worldley/Shutterstock, Vadym Zaitsev/Shutterstock, MelleFrenchy/Shutterstock – **p. 46** ChinaFotoPress/GettyImages, Boris Streubel/GettyImages, Claudio Villa/GettyImages, VI-Images/GettyImages, Alex Livesey/GettyImages, Matthias Hangst/GettyImages, Chris MacGrath/GettyImages, Valerio Pennicino/GettyImages, Aurélien Meunier/GettyImages, Jean Catuffe/GettyImages, Angel Martinez/GettyImages, Isantilli/Shutterstock, Antonio Masiello/Demotix/Corbis – **p. 47** Electa/leemage – **p. 48** TongRo Images/Alamy/Photo12, D.R.

Unità 4 p. 49 icpersiceto.it D.R., Albertari/Fotogramma/Leemage – **p. 50** feelphoto2521/Shutterstock, JIANG HONGYAN/Shutterstock, D.R., D.R., WM_idea/Shutterstock, Peter Kotoff/Shutterstock, Africa Studio/Shutterstock, Hachette Livre, Albertari/Fotogramma/Leemage – **p. 51** marinomarini/Shutterstock, Boudikka/Shutterstock, David Evison/Shutterstock – **p. 52** InnaFelker/Shutterstock, Radu Bercan/Shutterstock, Bikeriderlondon/Shutterstock, Paolo Bona/Shutterstock, Monkey Business Images/Shutterstock, ilcaffe.tv D.R., Vereshchagin Dmitry/Shutterstock – **p. 59** fztommy/Shutterstock, D.R., h4nk/Shutterstock – **p. 60** Albertari/Fotogramma/Leemage, SAHACHAT SANEHA/Shutterstock, Bokehstock/Shutterstock – **p. 61** Kiev Victor/Shutterstock, lee/Leemage – **p. 62** Scuola-Media-Carmignano D.R., D.R., Olga1818/Shutterstock

Unità 5 p. 63 parcavventura D.R., William Perugini/Shutterstock, Blend Images/Shutterstock, pcruciatti/Shutterstock, Stefano Tinti/Shutterstock, oggibenevento.it D.R., Sab-photo/Shutterstock – **p. 64** Ravenna Web TV – **p. 65** Danilo Sanino/Shutterstock – **p. 67** D.R., CroMary/Shutterstock – **p. 73** Lopolo/Shutterstock, Minerva Studio/Shutterstock, comodigit/Shutterstock, Sabphoto/Shutterstock, Stock-Asso/Shutterstock, Artush/Shutterstock, Zurijeta/Shutterstock, Monkey Business Images/Shutterstock – **p. 74** De Agostini/Leemage, M.Rohana/Shutterstock, De Agostini/Leemage, Vova Pomortzeff/Alamy/Photo12 – **p. 75** 1 à 6 De Agostini/Leemage, Electa/Leemage – **p. 76** NotionPic/Shutterstock, Mat Hayward/Shutterstock, Monkey Business Images/Shutterstock, Viktoria Kazakova/Shutterstock

Unità 6 p. 77 Pacific Press/GettyImages – **p. 78** Emmetre S.A.S. – **p. 79** Shutterstock, nonsolocultura.studenti.it – **p. 80** 1 et 3 Panini – **p. 81** De Agostini/Leemage, Marvel, DR., D.R. – **p. 86** Emmetre S.A.S., Marvel – **p. 88** marvel Coslay Italia, enzodibernardo/Shutterstock, Onigiri Studio/Shutterstock, Rai Cinema D.R. – **p. 89** Flavio Solo, Naaman Abreu/Shutterstock – **p. 90** malchev/Shutterstock, Stefano Tinti/Shutterstock, Alexandra Petruk/Shutterstock

Buone feste! **p. 91** Matteo Chinellato/Shutterstock – **p. 92** fond Astrostar/Shutterstock, Christos Georghiou/Shutterstock, Dormei/Shutterstock – **p. 93** Luisa Ricciarini/Leemage, manfredoniaNews.it D.R. – **p. 94** Antonio Gravante/Shutterstock, La Porta/Leemage, NGvozdeva/Shutterstock – **p. 95** Marzia Giaccobe/Shutterstock – **p. 96** fond HorenkO/Shutterstock, Motordigital/Shutterstock, marchesini62/Shutterstock, Paolo Bona/Shutterstock – **p. 97** De Agostini/Leemage, Selva/Leemage, De Agostino/Leemage, Luisa Ricciarini/Leemage, Selva/Leemage, Costa/Leemage – **p. 98** fond Sofiaworld/Shutterstock, D.R., D.R., Studiogi/Shutterstock, Sergey Chayko/Shutterstock – **p. 99** Red On/Shutterstock

Letture p. 100 -stockstudio/Shutterstock, Piotr Marcinski/Shutterstock, Cynthia farmer/Shutterstock, D.R., Syda Productions/Shutterstock, Raluca Teodorescu/Shutterstock, Racorn/Shutterstock, Rawpixel.com/Shutterstock – **p. 103** Emmetre S.A.S., Ribiero

Annexes p. 104 Chris Pearsall / Alamy Stock Photo/Photo12 - **p. 108**, **109**, **110**, **111**, **112**, **113**, **115**, **116**, **117**, **118** Tomacco/Shutterstock – **p. 109**, **114**, **116**, **117**, **118**, **119** Andres Moncayo/Shutterstock – **p. 110**, **114** VOOK/Shutterstock – **p. 109** Studiostoks/Shutterstock, Meilun/Shutterstock – **p. 111** paween/Shutterstock – **p. 114** MelleFrenchy/Shutterstock – **p. 118** Paket/Shutterstock, aekikuis/Shutterstock – **p. 122** marziaver/Shutterstock, TasfotoNL/Shutterstock, Carbonas/Shutterstock, Arseniy Krasnevsky/Shutterstock – **p. 123** Tatiana Bobkova/Shutterstock, Chepko Danil Vitalevich/Shutterstock, View Apart/Shutterstock, Polifoto/Shutterstock – **p. 124** Evren Kalinbacak/Shutterstock – **p. 125** 1 et 2 Monkey Business Images/Shutterstock, Busi/Farabola/Leemage, Paolo Bona/Shutterstock, Bikeriderlondon/Shutterstock - **p. 126** Elena Elisseeva/Shutterstock, Monkey Business Images/Shutterstock, Max Topchii/Shutterstock, Aleksandar Todorovic/Shutterstock, nikolay100/Shutterstock – **p. 127** starmaro/Shutterstock